Familia, crisis y cambio

Evelyn Soraya Lara

Familia, crisis y cambio

Familia, crisis y cambio
Evelyn Soraya Lara

© 2004

ISBN 99934-32-01-5

Dibujo de portada: Kilia Llano

e-mail: libros@mail.com
Teléfonos: (809) 537-2544 • 537-2691
Fax: (809) 482-8842

EDITORIAL LETRA GRÁFICA
Calle 9, No. 4, Urbanización Real, Santo Domingo, R. D.

*A mi esposo José Mármol (Jochino),
porque junto a él he construido, a cada
instante, nuestra familia.*

*A nuestros hijos Yasser y Alberto, quienes
enriquecieron profundamente nuestra
vida familiar.*

Contenido

Prólogo

· ·

C omo sociedad, vivimos el embate de las drogas, la violencia, la criminalidad, el aumento de los embarazos en las adolescentes, y muchos otros problemas sociales cuya verdadera dimensión no es sólo personal sino fundamentalmente familiar. A pesar de que se ha reconocido siempre la importancia de la familia en la formación de la personalidad, la institución familiar todavía no recibe ni los servicios ni el apoyo que necesita para cumplir con su sagrada misión de formar personas sanas para bien de ellas mismas y de la comunidad.

Sin embargo, son los especialistas en la conducta humana quienes se han preocupado por estudiar el intrincado funcionamiento de este sistema primario del desarrollo humano. Esto así, por encontrar día a día en su trabajo psicoterapéutico cómo las experiencias familiares intervienen marcando la formación de la personalidad adulta.

Podemos hoy afirmar que todas las teorías que tratan de explicar la formación de la personalidad convergen en la importancia que tienen las primeras experiencias del ser humano en el seno de su familia. Además, se valora también el sistema familiar como recurso de apoyo emocional y material para satisfacer las necesidades de pertenencia y afecto que todos necesitamos para una vida sana y feliz.

Nuestra comunidad está cada día más consciente de que la familia necesita ayuda para enfrentar con éxito los grandes desafíos de la tecnología y la globalización, que introducen en el seno del hogar mensajes desconcertantes y hasta deformantes de los valores fundamentales que defendemos como país. Es por eso que le damos la bienvenida a "Familia, Crisis y Cambio". La autora de este libro, como terapeuta familiar que es, ha transportado a estas páginas su visión de cómo se viven los conflictos más frecuentes en el ciclo de vida de la familia agregándole, además de su experiencia terapéutica, las pautas para solucionarlos.

Es admirable la motivación así como la dedicación de la autora, que han dado como resultado un recurso dominicano de consulta, no sólo para terapeutas en entrenamiento, sino especialmente para tantas familias y matrimonios que sufren. El lenguaje sencillo y los ejemplos que se presentan hacen este libro accesible a un amplio sector de la población. Además, cada capítulo termina abriendo la ventana de la esperanza con la alternativa de que toda crisis presenta la posibilidad del cambio positivo que conlleva al crecimiento y a la madurez personal y social.

Los primeros seis temas están dedicados a la formación de la pareja, la calidad de la relación marital y los conflictos que acechan la estabilidad de la pareja. Con seguridad afirma que "la pareja ideal no existe", presentando la necesidad de que para una pareja resolver sus conflictos no basta "un gesto de amor", sino que es indispensable "un acto de voluntad". En esta frase, la Lic. Lara ha resumido muchas de las teorías sistémicas aplicadas en terapia familiar que insisten en que la estabilidad de la pareja depende de una buena diferenciación entre la dimensión emocional y la intelectual. Todos los temas son tratados con una sólida base científica, pero expresados en lenguaje sencillo y aterrizado en nuestra realidad dominicana.

En otros temas nos presenta las diferentes etapas de la relación de pareja y los obstáculos que se presentan para lograr el cambio positivo de la pareja frente a los problemas que se irán presentando en el transcurrir del tiempo juntos. También la necesidad de jerarquizar la relación marital frente a las otras actividades individuales, sin caer en el pozo de la dependencia; y el siempre presente tema de los roles en la vida marital con un sano enfoque de la importancia de preservar el "sí mismo" de la esposa frente a los peligros de los conceptos socioculturales que restringen su espacio y desvalorizan su participación en la vida de la pareja.

Para los que hemos elegido ser "vendedores de esperanza" para las familias que sufren, nos satisface que la autora haya incluído dos temas especialmente dolorosos para los miembros de la familia y para quienes lo viven, y que representan un serio desafío terapéutico: la violencia marital y la adicción al alcohol. Ambas condiciones actualmente son socialmente reforzadas por los medios de comunicación y entretenimiento, con el agravante de que nuestra niñez está siendo expuesta al aprendizaje de la violencia con los video juegos, tan populares en la actualidad.

Finalmente, es necesario reconocer la sinceridad que la autora le imprime a su mensaje cuando da testimonio de sus propias experiencias en su vida personal. Esta proximidad con el lector es característica del enfoque sistémico familiar, que promueve en el terapeuta su participación en el sistema para lograr el cambio. Nos satisface saber que este valioso recurso de autoayuda le permitirá a un amplio sector de la población dominicana ver una luz al final del camino, conocer alternativas para no conformarse con la infelicidad y conocer como defender su autoestima y preservar su yo para compartir "en el nosotros" la felicidad.

Zelided Alma de Ruiz

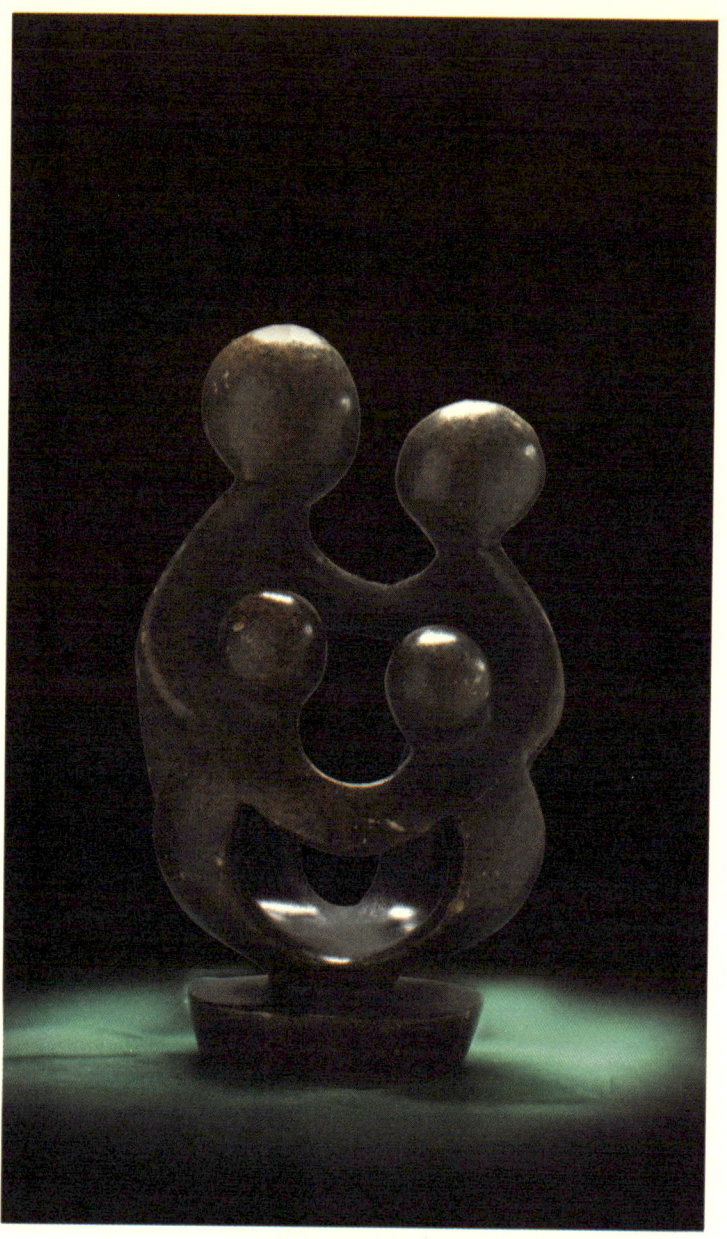

La pareja ideal

M e pareció tan gracioso que una prima de catorce años con el Síndrome de Down pidiera como regalo de Navidad un muñeco "que fuera un príncipe azul". Le pregunté para qué lo quería, y qué hacía el príncipe azul. Su respuesta fue encantadora, sobre todo por la gracia con que se expresó, "porque se enamoran".

Es curioso cómo llega la fantasía de las relaciones de parejas de los cuentos de hadas hasta personas con condiciones especiales. El mensaje aprendido, por lo menos hasta nuestra generación, es el de un final feliz porque al enamorarnos encontramos a la persona de nuestra fantasía.

Una de las grandes causas de los problemas de pareja, sobre todo en la etapa inicial del matrimonio, es la creencia de que vivirán felices para siempre por la llegada de un príncipe azul, o porque el hombre encontró la princesa de sus sueños.

Buscar la felicidad sostenida por el otro es una premisa falsa. Una relación es demasiado compleja para limitarse a la búsqueda de un ideal. Cada cónyuge tiene, respecto a la relación, demandas distintas que espera sean satisfechas; pero, sucede que generalmente no ocurre. Muchas de éstas suelen ser cubiertas por el cónyuge, otras no. Frecuentemente se le pide al cónyuge que de lo que no puede dar.

Parte del éxito de una relación está, precisamente, no en sentirse plenos porque su pareja sea exactamente igual, sino porque pueden vivir juntos, crecer y amarse a pesar de ser diferentes.

Cuando una persona se enamora está eligiendo en el plano inconsciente suplir una serie de necesidades emocionales que espera que su cónyuge las satisfaga. Recuerdo, cuando pregunté a Margarita qué le había gustado de Pedro*. Ella, sin titubear, respondió que su buen sentido del humor, que siempre estaba presto para disfrutar de la vida. Al cuestionar a Pedro sobre Margarita, me contestó que lo que más le atrajo fue su sentido de responsabilidad, su don de mando y decisión.

Resulta que al evaluarlos en el marco de una situación problemática de la pareja, lo que más le atrajo a cada uno fue lo que se convirtió en parte del problema. Margarita no se encontraba a gusto con su pareja porque nada se lo tomaba en serio, todo era un relajo, todo lo posponía y no encaraba los problemas en el momento que había que hacerlo. Mientras que Pedro entendía que ella lo ponía tenso, todo lo quería dirigir, quería estar en la empresa dando órdenes a los empleados, quería que todo se resolviera en el instante. El asunto es que lo que más le atrajo a cada uno era lo que los estaba distanciando.

---

* Los nombres propios utilizados en los textos son completamente ficticios, de manera que no responden, en forma alguna, a personas reales.

Ellos no estaban conscientes de que cada uno buscaba compensar en el otro lo que no tenía. Las diferencias personales se constituyeron en un motivo de crisis. Esta pareja no comprendía que sus diferencias podían ayudarlos a fortalecerse en la relación.

La pareja ideal no existe. Existen parejas conscientes de que la relación de dos es una entidad compleja en la cual hay que mantener la calidad de interacción, es decir, un equilibrio en el dar y recibir. Hay que plantearse el propósito de estar juntos y mantener la estabilidad emocional, respetando la individualidad de cada uno, teniendo siempre en la mira la intención de ganar en pertenencia.

Lo más loable y justo es reconocer y aceptar que no existe pareja ideal. No llenarse la cabeza de fantasías, de pensar que el otro se va a satisfacer plenamente. Será más exitosa la pareja que, en medio de un problema, reconozca que su relación está dañada, que necesita ayuda y la busque, comprometiéndose a mejorarla. La relación de pareja, además de un gesto de amor, es un acto de voluntad.

La relación de pareja

L a relación de pareja conforma en sí misma una unidad emocional, la cual se va enriqueciendo desde la formación y a través de su discurrir por diferentes etapas. La fase inicial responde al enamoramiento, las fantasías, el romanticismo y luego tiene lugar la madurez de la relación.

La complejidad de la relación se inicia a partir de la realidad de que dos personas establecen un hogar, dos "culturas familiares distintas", dos personas diferentes bajo un mismo techo.

En la etapa inicial existe la posibilidad de que la pareja presente dificultades a partir de la creencia de cada miembro en imponer, como la única forma posible, una pauta de funcionamiento parecida a la de sus padres. Esto en si trae problemas de enfoque manifiesto, es decir, de cómo debe ser la relación, cómo van a participar con la familia de origen, con los amigos solteros, cómo educarán a sus hijos y sus creencias religiosas, entre otras cuestiones propias de la vida cotidiana de una pareja.

En el primer estadio en la formación de pareja lo más importante es que ambos se acomoden para facilitar la creación de una estructura de funcionamiento que definirá esta nueva relación, más que limitarse a repetir lo mismo que sus padres hicieron.

Es bien sabido que al inicio de la relación hay reglas implícitas, que quedan establecidas sin que ocurra ninguna negociación, como por ejemplo, la hora de levantarse, quién usará el baño primero, quién se irá primero al trabajo, la hora de llegada, en fin. Otras reglas son establecidas explícitamente, como son la distribución de los gastos económicos, quién se ocupa de las tareas domésticas, quién llevará los niños a la escuela, entre otras. Si la distribución de tareas, de funciones no está suficientemente clara, la probabilidad de conflictos en la pareja aumenta, ya que podría suceder que uno u otro estén esperando que su compañero lo haga. Cuando la pareja no está consciente de lo que le corresponde hacer y cumplir genera en sus miembros una demanda del cumplimiento de las obligaciones.

Cada etapa de la relación de pareja conlleva tareas específicas. En principio, la pareja quiere tener hijos, afirmarse en su carrera y trabajo, luego podría venir la necesidad de compañía y el deseo de compartir intereses intelectuales y espirituales, entre otros.

Las necesidades de afecto, atención, comprensión, lealtad, comunicación en las parejas variarán de acuerdo a cada relación establecida. Estas estarán determinadas a partir de las experiencias de cada sujeto en su familia de origen. Las necesidades se van satisfaciendo o no de acuerdo a las expectativas creadas por la pareja, y es a partir del cumplimiento o no que se va dando un ordenamiento de la relación.

En esta primera etapa lo más significativo para la díada marital es constituirse en sí misma en un contexto de apoyo mutuo para fortalecerse frente al mundo exterior, así como frente a la familia de origen, amigos y relacionados. Esto le permitirá a ambos constituirse en un lugar seguro para librarse de las tensiones externas.

Una de las tareas vitales en esta etapa es fijar límites que protejan a la pareja de las interferencias de los padres, familiares, hijos o amigos; la injerencia de otros en la relación de pareja creará en los cónyuges un alto nivel de tensión.

Entre los conflictos más comunes en la primera etapa de la relación encontramos el que se da cuando los padres interfieren en la vida de la nueva pareja. Quieren decir a sus hijos cómo deben actuar en el matrimonio, dicen a la esposa cómo a su hijo le gusta que le hagan la comida. A la hija la quieren seguir protegiendo como cuando era una niña, quieren que ésta siga cuidando de ellos más que a su pareja. Acciones como estas son las que transgreden los límites de la nueva pareja.

Igual suele ocurrir con el grupo de amigos solteros que no aceptan la nueva relación, sino que quieren seguir teniendo las mismas salidas y diversiones como si éstos no se hubiera casado. La pareja en formación para su consolidación debe establecer cómo será la participación de los amigos solteros en esta nueva etapa de la vida conyugal.

La pareja con hijos

Cuando llegan los hijos, un nuevo cambio aparece en la relación de pareja, la cual exige una reestructuración en el funcionamiento ya que la díada tiene que reelaborar nuevas pautas de interacción y reglas que le permitan llevar a cabo las funciones que le corresponden en esta etapa de la vida en pareja. Las pautas de interacción estarán dirigidas hacia cómo participarán con los nuevos miembros de la familia, cómo participaran los abuelos, tíos, cómo será su relación con la escuela, con los médicos. Las reglas responderán dependiendo de la etapa de desarrollo de los hijos, es decir, si están en edad preescolar, adolescencia o adultez. Estas irán desde el cumplimiento de las tareas, el tiempo para el juego, la organización de sus espacios, la higiene y las calificaciones, entre otras.

La pareja con hijos adultos

En esta etapa se redefine la relación de pareja a partir de la adultez de los hijos ya que éstos inician una vida en la que no dependen de sus padres, sino que van desarrollando su propio estilo de vida, su carrera hasta la elección de una pareja. La díada marital vuelve a reencontrarse, la relación en sí misma vuelve a ser esencial para ambos. En este período la pareja debe retomar sus viejos sueños, replantearse y cumplir las metas que habían pospuesto por haberse dedicado a la tarea de crianza de los hijos. Sin duda alguna esta etapa trae sus propias dificultades ya que el nido se queda vacío. Si la pareja no logra readaptarse al cambio y dar el salto a nuevas pautas de interacción, podrían generarse conflictos muy serios.

Matrimonio por compromiso

E l matrimonio ha sido y es una entidad cívica o sacramental que se ha visto afectada en todos los tiempos. Ha vivido de crisis en crisis. Entidad que ha sido definida desde el Génesis, desde la creación de Adán y Eva cuando se les induce a formar una pareja y se establece que "dejarán a su padre y a su madre y se convertirán en una sola carne".

Interpreto el hecho de convertirse en una sola carne, no como una pérdida de identidad individual, sino más bien como el resultado de las pautas de interacción de la pareja. Estas pautas interactivas que sostienen la relación son las que se convierten en "una sola carne". De manera que toda relación debe sostenerse en un "compromiso por dedicación".

Tú debes cambiar

La pareja comprometida en la relación es aquella en la que ambos están conscientes de que marchará bien si están en la capacidad de cambiar para mejorar su intimidad y confianza. Las parejas comprometidas están centradas en ganar en pertenencia, pasar tiempo juntos, tener planes comunes, confiar uno en el otro, compartir actividades comunes, manteniendo adecuadamente sus niveles de individualidad.

En muchas parejas la probabilidad de cambio frente al conflicto queda severamente afectada por el dilema que ambos miembros suelen presentar ante el terapeuta, señalando que la relación mejoraría si el otro cambiara y viceversa.

En esta circunstancia se agudiza más la guerra entre ambos, pues entran en una lucha de poder. "Yo cambio si tú cambias". Pero, ocurre que es la pareja la que tiene que cambiar. Al presentarse el círculo vicioso de la condición, el otro, es decir, quien coloca el condicionante, no está asumiendo su participación y responsabilidad en el problema.

Cuando uno de los cónyuges no acepta que su actitud, sus acciones están contribuyendo a la permanencia del conflicto, es mucho más difícil romper el patrón de relación que lo sostiene.

Un ejemplo claro lo tenemos en un patrón de relación de violencia marital. El hombre acusa a la mujer de ser quien lo provoca, llegando ella del trabajo más tarde de lo esperado, o porque no lo atiende bien, o porque deja los zapatos fuera de lugar, porque el hablar con amigos es serle infiel, entre otros argumentos. Por su parte, ella se siente tan inadecuada, tan poco valiosa ante su pareja que llega a creerse merecedora del maltrato.

En este caso vemos que ninguno de los dos está asumiendo la responsabilidad de darse cuenta cómo se van entretejiendo pautas repetitivas que hacen que la violencia siga ocurriendo.

Por igual, lo vemos en el hombre que se queja de que su esposa es celosa, que lo llama constantemente, que quiere saber dónde está y a qué hora llega. Sucede que la esposa se queja de la ausencia de su cónyuge, de que él anda solo, que no le comenta nada acerca de sus actividades, en fin. Sucede que mientras más él se aleja, ella intensifica los celos y crece su demanda de cercanía, de información, de comunicación.

El comportamiento conflictivo de la pareja se sostiene sobre la premisa de que, por ejemplo, él dice que es ella la que tiene que cambiar y dejar de ser celosa, mientras ella indica que él debe cambiar y no darle motivos para estar celosa.

Notemos cómo se cierra el círculo y, en consecuencia, la pareja no cambia. Antes al contrario, aumenta el conflicto.

Lo penoso es que ninguno logra ceder en la forma de focalización y solución del problema. Culpan, responsabilizan al otro del problema, pero ninguno cede ante la demanda del cónyuge. Siempre se cree que es el otro el que genera la situación conflictiva.

De manera, pues, que para salir de este círculo vicioso, o si bien la pareja quiere cambiar el patrón de relación, lo primero que tiene que hacer es focalizar el problema, antes que andar buscando a un culpable. Se precisa, además, crear un estilo nuevo de relacionarse que sea más aceptable para la convivencia armónica.

Amar o morir: la vida de pareja

E l amor es y ha sido siempre un tema que ha
movido emociones muy fuertes. Ha sido motivo
para los poetas escribir sobre él y su opuesto,
el desamor. Ha sido causa de suicidios, homicidios y hasta
grandes imperios económicos y políticos han caído y se han
construido por su causa.

La disyuntiva de amar o morir puede darse en cualquier
pareja, si la relación se sostiene con niveles de dependencia
y apego enfermizos, y con niveles de sí mismo muy bajos.

Me gustaría poner un ejemplo que los lectores puedan
observar con claridad. Se trata de la película "El Abogado del Diablo", en la cual aparece el personaje del esposo
abogado pueblerino, casado con una chica también pue-
blerina.

El joven pueblerino, abogado muy talentoso y ambicioso,
con deseos de poder y con una gran necesidad de ser reconocido, se va a la gran ciudad a recibir lo que buscaba. Ella,
mientras, centraba toda su vida en admirar al esposo y en
vivir sólo para él. Dependía totalmente de él.

Centrémonos en la relación de pareja: cuando ambos llegan a la ciudad, él logra adaptarse con mayor facilidad que ella. Para ella, en cambio, resultó mucho más difícil la adaptación a este nuevo estilo de vida, y mucho menos a la carrera vertiginosa y ambiciosa de su cónyuge.

Es impresionante ver cuando ella comienza a socializar con las demás esposas. No logra entrar en ese mundo, el cual le parece diabólico. Hay que notar cómo ella reacciona cuando sus amigas le dicen como consuelo "ya que no puedes tener una relación con él, tenla con su dinero".

Ella se resistía a todo eso, solo quería estar con su esposo, el cual ya no le dedicaba tiempo, aún ante la demanda insistente de ella. Quería advertirlo sobre los antivalores de ese nuevo y nefasto mundo en el cual él se movía. A partir de estas situaciones, la relación comienza a deteriorarse dramáticamente.

El nivel de dependencia de ella es tan alto, su sentido de vida estaba centrado tanto en él, y él centrado en su trabajo, que más tarde ella comienza a sentir su lejanía, su abandono emocional. El se retira más de lo que ella puede soportar, por lo que comienza a hacer crisis depresivas muy fuertes y luego llega a tener alucinaciones.

En el filme podemos observar que su esposo la había abandonado emocionalmente, dando más prioridad a su trabajo y a su ambición desmedida, lo que se puede ver cuando su jefe lo pone a elegir entre su esposa enferma o el caso jurídico pendiente, y él prefiere el caso sin prever las posibles consecuencias para su esposa.

Como la esposa se queda sin su soporte vital –sin un mundo emocional que la sostenga– y sumida en una capacidad extrema de ceder siempre a las necesidades y demandas del esposo, entra en una depresión profunda, crónica que la induce al suicidio.

Fíjese como una relación de pareja fácilmente se quebranta cuando la prioridad no es la relación, cuando cada miembro pierde la esencia de sí mismo. Por supuesto esto es un caso extremo, pero, en otros casos se termina con matar la relación, que es lo más común.

Es importante que la pareja entienda que su relación está primero; que cada individuo debe asumirse a sí mismo como entidad individual, y no como un apéndice del otro, y reconocer que en una relación ambos deben estar prestos para recargarse emocionalmente.

Si una pareja está junta es porque así lo ha decidido y deberá, en consecuencia, propiciar una relación en la que ambos se valoricen en su justa dimensión. Darse cuenta que para sobrevivir es meritorio invertir emocionalmente en el otro. Esto es lo que da la garantía de estar juntos: el compromiso de amarse, cuidarse, atender las necesidades emocionales, acompañarse en los momentos difíciles.

Hasta que la inteligencia nos separe

E n una conversación muy amistosa con un periodista amigo, él planteaba, en un ambiente de camaradería, que antes existían menos divorcios porque las mujeres eran "más brutas"; que hoy se rompen los matrimonios porque la mujer es más inteligente.

Es un hecho indiscutible la inteligencia de la mujer a través de la historia, muy a pesar de las circunstancias de exclusión y discriminación a que han sido sometidas en distintos estadios. Hemos tenido mujeres trascendentes desde la Biblia hasta mamá Tingó. Ha habido mujeres conquistadoras de territorios con fuerzas políticas, mujeres guerreras, líderes espirituales, mujeres dispuestas a dar su vida para defender sus derechos.

Esta persona amiga, por los comentarios sostenidos, ponía en evidencia el patrón de género masculino que limitaba su visión a aceptar una mujer con la capacidad de mantener una relación en la cual ella jugara un papel activo. Una mujer que pudiera sostener un yo bien delineado frente a él, que pudiera expresar sus pensamientos, emitir sus opiniones, hacer las demandas necesarias a su pareja y los reclamos que pudiera hacerle, no podría ser su pareja.

Es mucho más cómodo para el hombre de su tipo y creencias tener una mujer de compañera que esté sometida a la forma de pensar y a las necesidades exclusivas del hombre. La socialización a la que estuvo sometida la mujer por cientos o miles de años la condicionaba a jugar un papel muy pasivo, de sometimiento, de no reclamar sus derechos ni a su sociedad ni a su pareja.

La mujer de estos tiempos se encuentra en la mayoría de los países del mundo muy informada y consciente de sus derechos, no tan sólo de las oportunidades sociales y políticas, sino de lo que le corresponde en una relación de pareja. Está dispuesta a reconocerse, a valorarse, lo cual la coloca en un plano distinto frente a sí misma y la relación.

La forma en que muchos hombres aprecian la figura femenina está influenciada definitivamente por la cultura a la cual se pertenece, es decir, cómo se conciben la definición y las tareas que se les tiene asignadas a una mujer en un país determinado.

En nuestros tiempos, el papel de la mujer está sujeto al de ser madre, cuidar del hogar y del marido, saber economizar para que él no se enoje, y mantenerse al servicio de la familia. En nuestros tiempos se le suma a la mujer la tarea difícil de ser profesional a la vez, sin abandonar todas las responsabilidades mencionadas anteriormente.

De ahí que la mujer aprenda a sobrevivir muy estresada, porque culturalmente debe ser así. En muchas relaciones la mujer no puede ni siquiera cuestionar el asunto, pues es vivido por el compañero como acto de insubordinación, en el cual él se siente amenazado por la independencia mostrada por la pareja. Esta situación conlleva al hombre a culpabilizar a la mujer cuando la disciplina y el rendimiento escolar de los hijos no andan bien, si hay quejas en el vecindario, si tienen una relación de noviazgo antes de tiempo.

El hombre suele delegar todas la funciones parentales en la mujer llegando, en su mayoría, a desentenderse de la parte que le corresponde y delegando su rol de padre en la madre y solo convertirse en proveedor. La madre asume y pasa a ser la persona que está más involucrada con los hijos y con todo el funcionamiento del hogar, y por supuesto esto la lleva a perder la objetividad de su propia vida, no logra crear una perspectiva de futuro que no sea el de convertirse en la estupenda madre y cuidadora del hogar y muy distante de una relación de pareja.

De manera pues, que muchos hombres prefieren una mujer que los libere de sus responsabilidades parentales y maritales para dedicarse más a las actividades fuera del hogar y convertirse en padres periféricos y maridos ausentes.

Este estilo de relacionarse de la pareja crea la plataforma necesaria para que el hombre se haga imprescindible económicamente y más independiente, y la mujer más dependiente y más aferrada a la idea de que necesita quedarse con él porque no sabría cómo sobrevivir económicamente, por lo que muchas mujeres se quedan en una relación, más que por voluntad, amor, compromiso, lo hacen por necesidad.

Más que enfocar este problema desde el punto de vista económico, veámoslo como una pérdida del *self* auténtico de la mujer, hasta qué punto una mujer sostiene una relación en la cual no se le respete, ame, no se reciproque la entrega, el afecto, la lealtad, sino que está sumergida en el *self* de su compañero. Es regalarse a sí misma para cuidar, alimentar y amar a su pareja como si fuera su madre.

Hay mujeres que justifican su rol maternal en la relación, obviamente que es un papel aprendido y asignado culturalmente. La mujer es entrenada para ser madre de su esposo, con un amor incondicional. No reaccionan al mal trato de su pareja, pues llegan a creer que fueron las culpables de su enojo, justifican hasta el ser agredidas, "si yo no lo hubiera provocado...", "si no lo hubiese celado, todo sería diferente", "si le hubiese guardado la ropa limpia, o la cena puesta", todas estas expresiones revelan como las mujeres aún no están conscientes del rol marital que le corresponde a ellas, y el que le toca a él, sino que actúan como madres en su rol incondicional.

Así mismo, el hombre encara muy bien su rol de demandante, de que se le cuide como a un hijo y no como a un compañero. Se crea entonces un desbalance en la reciprocidad en la relación de pareja, la mujer se convierte en una dadora de afecto y cuidado, mientras que él sólo aporta en la parte instrumental, desconectándose de la parte afectiva, emocional con su pareja, promoviendo así una relación de abuso emocional.

Ahora bien, la mujer cada día está acercándose a tener más información, a reconocer cuáles son sus derechos, tiene más posibilidad de recibir información a través de televisión, Internet, charlas, cursos, talleres y lecturas que va promoviendo acercarse a una conciencia más clara y definida de lo que es su propio *self* o sí mismo que promueve una demanda más objetiva frente a su compañero.

La pareja, a la hora de elegirse, se elige en un plano consciente, le atrae el físico, la inteligencia, la amabilidad, etc., pero hay otra elección que se hace en el plano inconsciente, algo que les atrae pero que no se puede visualizar objetivamente. Y este es el que va a jugar un rol preponderante en la relación y es ¿qué necesito yo emocionalmente?, ¿qué busco yo en esta persona, que no tengo y que necesito que el otro me cubra? Es decir, la pareja busca inconscientemente en el otro una necesidad emocional que no ha sido cubierta y se elige una pareja para que la llene.

Cuando se elige a una pareja, se selecciona una que posea el mismo nivel de autoestima. Generalmente se escucha decir a alguien muy sorprendido de cómo es posible que A haya elegido a B con tan baja autoestima. Resulta que la pareja que se conforma tiene el mismo nivel de autoestima, no sería posible elegir una pareja que posea un nivel significativamente distinto de autoestima.

Esto se puede incluso apreciar en una relación en la que uno de los miembros es narcisista. A pesar de la prominencia del narcisista, de la proyección intelectual o social que posee, necesita del otro que pueda cederle parte de su autoestima para sostener la imagen sobresaliente del narcisista. De manera que un narcisista nutre su *self* o sí mismo del otro, es decir, por tal actitud posee un pseudosefl o falso sí mismo, ya que necesita de la sombra del otro para poder brillar.

Retomando la observación del periodista, si tomamos en cuenta de que sí existen mujeres que no quieren ser la sombra de la pareja, ni negociar su *self*, por el contrario mantener su propia voz, su forma de pensar, de actuar, defender sus derechos, sus convicciones y principios, esto les puede costar el matrimonio, si su pareja no está en el mismo nivel de autoestima.

Por eso vemos que es difícil que dos narcisistas puedan vivir juntos, sin entrar en una guerra de ver quién tiene mayor espacio psicológico en la relación, quién es el mejor en la relación. Se desarrolla una relación de explotación de la pareja, se le exige y demanda para que de más de lo que puede dar;

por más que la esposa haga por él, y trate de convencerlo de todo cuanto hacer por él, a él, nunca le parecerá suficiente.

Si consideramos esto, entonces sí es cierta la hipótesis del amigo, obsevando la relación de forma vulgar y vana. Pero lo que sí podemos observar es la existencia de una relación de explotación en la cual hay uno que pide, demanda, exige en demasía y ella que siente que nunca termina de pagar la deuda que tiene con el marido.

La no comunicación en la pareja

· ·

Existe un axioma en la comunicación que plantea la "imposibilidad de no comunicar". Es imposible no comunicarse con la pareja, aunque no le cuente de sus planes, actividades, intimidades, miedos, ansiedades. Con semejante actitud, simplemente le está comunicando que "no quiere comunicarse".

Muchos cónyuges concurren a la terapia marital para presentar el problema de la comunicación verbal. No se dan cuenta que son expertos comunicándose mediante silencios, muecas, indiferencias, miradas. De manera que, en su comunicación cotidiana, el contenido no verbal suele ser más poderoso que el verbal.

Ana y Jorge son una pareja a la que le cuesta mucho comunicarse adecuadamente. Lo que más molesta a ella de su cónyuge es que él vive muy pendiente a su expresión no verbal. Se ha convertido en un experto leyendo el lenguaje no verbal. Inmediatamente se levanta reacciona ante la expresión gestual de la boca de su mujer, y en ocasiones le ha dicho "y a ti qué te pasa, que amaneciste con el pico parado".

Ella se queja de que a veces él suele toparle por la boca y le hace algún comentario sobre el gesto bucal.

Durante el proceso de terapia ella pudo darse cuenta que él estaba reaccionando más a su madre que a ella misma. Pues cada vez que se reunía con la madre de su esposo, en cuanto ella se acercaba él le comentaba sobre el "pico" de la madre. De manera, pues, que el esposo estaba proyectando en su esposa la ansiedad que le generaba la madre.

El lenguaje no verbal de la esposa en sí mismo no le comunicaba nada al cónyuge, pero su mapa cognitivo hacia una madre descalificante, interpretaba el gesto como un rechazo y enojo de ésta.

Ana se había sentido por muchos años maltratada por el esposo debido a la actitud que éste asumía frente a sus gestos. El aprendió que estaba reaccionando frente a su mujer a una imagen de madre que le resultaba amenazadora.

La actividad o inactividad de las palabras o silencios tienen siempre un valor de mensaje porque influyen sobre los demás. De modo que imponen una conducta, por lo que a su vez, el otro cónyuge no puede dejar de responder a tal modo de comunicación.

Cuando un cónyuge se ve sometido al silencio del otro termina por adoptar la misma modalidad, cayendo en un círculo vicioso. Uno impone al otro el deseo de no comunicarse: no preguntes, no me hables, no me cuestiones. Muchos se desconectan durmiéndose, viendo la televisión, leyendo el periódico en momentos que son apropiados para compartir con su pareja.

Estos silencios suelen generar un nivel de ansiedad muy alto en la pareja, pues, la guerra se libra en silencio o en lenguaje indirecto, es decir, a través de terceras personas o de los hijos. Ana y Jorge comentan que aún estando sentados en la mesa a la hora de almuerzo él suele decir a su hija: "pregúntale a tu mamá qué quiere comer". No le es posible preguntarle directamente.

Aunque en esta pareja parezca no existir la comunicación, si existe. La diferencia está en que su estilo de dialogar es indirecto y confuso. Su puntuación en la comunicación tiene lugar mediante una comunicación triangular: el padre le comunicaba a la hija, la hija le pregunta a la madre, la madre responde a la hija y ésta le da la información al padre. Es muy dramático para esta familia semejante pauta de comunicación, pero hasta el momento no tenían otra alternativa que les permitiera hacerlo directamente.

Aparece en la comunicación un factor de incongruencia entre el lenguaje verbal y el no verbal. A esto se denomina comunicación incongruente o contrapuesta, que se expresa mediante la contradicción entre el lenguaje verbal y el no verbal, respecto de un mismo objetivo de mensaje. Por ejemplo, cuando el cónyuge dice a su pareja "te amo", y tan pronto esta última procura un gesto cariñoso, el primero le responde con un rechazo.

Importante es para la pareja aprender a solicitar información y aclaración cuando el mensaje no es comprendido, cuando es confuso o cuando es contradictorio en el plano verbal y no verbal. Es decir, si un cónyuge le informa al otro que saldrá un momento a una reunión con unas amigas y la expresión del otro es "¡vete!", en un tono imperativo y el rostro refleja enojo, la respuesta tiene una connotación confusa para el que recibe la información. En este caso la persona queda atrapada en una paradoja, no reconoce el verdadero sentido de la respuesta, dada su naturaleza expresiva contradictoria. El receptor del mensaje tendrá que elegir con cuál de las dos respuestas se queda, si con la verbal o la no verbal. Lo preferible en este caso es aclarar, pedir la información con claridad y denotar si el mensaje asumido es *no*. Generalmente el quedarse atrapado en este tipo de diálogo genera confusión y se va perdiendo la capacidad de dar respuestas congruentes.

En ocasiones se inicia una gran lucha entre ellos porque ella deja de dar respuestas y comienza a anularse, pues no puede sobrevivir a este comunicarse incongruente, haciéndosele difícil decodificar el mensaje que subyace en lo verbalizado.

Toda pareja desarrolla un patrón de comunicación creando una estructura que le da sostenimiento al estilo de interactuar, a este hecho Watzlawick le llama puntuación en la comunicación.

Todos los seres humanos necesitamos desaprender esquemas de comunicación defectuosos para aprender estilos que nos permitan un contacto íntimo con el otro, mediante el cual podamos expresar lo que sentimos y solicitar lo que necesitamos.

Violencia marital

· ·

En las relaciones maritales, aún en nuestros tiempos modernos, el hombre sigue considerando que la mujer es una propiedad privada sobre la que se puede ejercer "poder", "dominio" y "control", fundamentalmente, a través de golpes. Es bien sabido que la violencia no es más que un ejercicio de poder. Cuando el hombre comienza a sentir que pierde control o dominio recurre a la violencia como único mecanismo de restablecerlo.

Desde muy temprana edad se va conformando el perfil del hombre violento. Primero, hay que considerar el patrón de relación familiar. Muchos hombres violentos vienen de familias con pautas de relaciones también violentas o de un hogar con carencias afectivas y ausencias de cuidados primarios. Segundo, mediante los patrones de género, en los cuales el hombre es socializado para ser agresivo, competitivo, exitoso, mientras que la mujer es sumisa, tolerante, dependiente, etc. Dutton y Gollant plantean, en su investigación con hombres violentos, la experiencia temprana que tuvieron estos cuando eran niños con un padre rechazante y humillante y una madre emocionalmente ambivalente.

De manera que el proceso de socialización, el clima emocional familiar, los patrones culturales de género coadyuvan a la ocurrencia de violencia marital. Peor aún, si, como en nuestro país, encontramos un sistema social y legal que sea tolerante con esta situación. Todavía en las instancias que son responsables de frenar la violencia o actuar en contra de ella consideran que ésta es asunto privado de marido y mujer. Muchas mujeres que van al Departamento de Protección a la mujer se han sentido maltratadas también por el mismo sistema, porque es humillante que se solicite la presencia del cónyuge abusivo para buscar una reconciliación, cuando ellas lo que buscan es como salir y detener de una vez los episodios de maltrato.

Existen distintos tipos de violencia de pareja, independientemente de la clase económica, etnia o cultura y religión. Estos son: violencia física, emocional, psicológica, económica, sexual y por negligencia.

Dentro de los tipos de violencia señalados, la más reconocible ante los demás es la física, la cual deja huellas muy visibles, porque suele ser expresada mediante cachetadas, pellizcos, tirones de pelo, patadas, golpes con objetos y manos que dejan hematomas, heridas de arma de fuego, armas blancas, quemaduras, marcas en el cuello por intento de ahorcamiento o arrojamiento de ácido del diablo, entre otros químicos destructivos. La peligrosidad llega hasta el homicidio.

La violencia emocional suele darse sin antecedentes de abuso físico, apareciendo a través de desvalorizaciones, es decir, descalificando sus opiniones con ironías, burlas, sarcasmo, humillaciones, etc. Otras formas son los mensajes descalificadores, hostilidad manifiesta a través de reproches, acusaciones e insultos permanentes, que en muchas ocasiones se traducen en gritos y amenazas. Y por último, la indiferencia, manifestándose cuando se ignoran las necesidades afectivas y los estados de ánimo de la mujer, que son desvalorizados y reprimidos, casi siempre, por la exhibición de actitudes violentas.

La violencia económica es muy bien aprovechada por el cónyuge abusador, ya que limita socialmente a la mujer. La priva del acceso al dinero, con lo cual la somete, de modo que no pueda cubrir sus necesidades básicas, acción que constituye una forma de asumir control sobre ella.

Muchas mujeres son violadas sexualmente por sus cónyuges. A veces, son golpeadas primero, y luego se les obliga a tener relaciones sexuales, conducta acompañada de acusaciones como "cuernera" y "puta", además de amenazas de "buscarse otra que lo complazca sexualmente", que lo "hace con ella por necesidad, no porque sabe hacerlo" ente otras.

Hay un tipo de maltratadores que se vale de acusaciones de que la mujer está engañándolo con otro, sobre todo, en caso de no hacer el amor con él. Estos hombres violentos exigen a la mujer demostración constante de que sólo tienen relación sexual con ellos. En algunos casos ocurre que el hombre tiende a revisar la vagina de la mujer, a oler su vulva para asegurarse de que ella no ha estado con otro hombre. El drama de la violencia sexual es muy lamentable en una sociedad abierta como la que se supone vivimos hoy.

Señales de la persona abusiva

Existe una serie de indicadores que pueden poner en evidencia una personalidad abusiva. Las condiciones socioculturales, la definición de género y la estructura jerárquica promueven que sea el hombre quien cometa más abusos maritales.

Lo que define una relación abusiva es un "desequilibrio de poder", en el cual aparecen los roles complementario de dominio, control y sumisión. Se da la situación de uno arriba y el otro abajo.

Entre las características de una personalidad abusiva están los celos, que son una señal de posesión y falta de confianza, aunque inicialmente muchas mujeres piensan que es una demostración de amor. Este componente suele aumentar conforme la mujer tiene amistades y trabaja fuera del hogar. El hombre tiende paulatinamente a aislarla de todo aquel que le rodea, la aleja de las amistades y fundamentalmente de la familia.

Aislar a la mujer por celos se hace para el hombre sentirse que la tiene bajo su control y dominio, el hombre violento teme a ser abandonado por su pareja. Además, el aislamiento le permite que los allegados no se percaten del maltrato. Alejarla de la familia le garantiza el que ella se quede, ya que el maltratador cree que la familia de la esposa "le lava el cerebro" para que lo deje; a lo que más teme el hombre violento es al abandono. Esta es una condición estereotípica en la relación abusiva de pareja.

Cuando el maltrador percibe la posibilidad de que su mujer, de manera real o imaginaria, lo abandone, entonces intensifica los golpes o agresiones verbales, o bien, ambas cosas a la vez. Ante el temor al abandono inminente crecen los celos y en consecuencia aumenta la probabilidad de que la mujer sea asesinada.

Otra de las característica del hombre violento es la hipersensibilidad. Se siente constantemente herido, a pesar de que es él quien hiere y hace daño. Se enoja fácilmente, culpabilizando a su pareja de ser la provocadora de su enojo. De ahí expresiones como "si tú no me molestaras", "es que me llamas tanto, que me molesta", "si me celaras menos", "si tú no me llegaras tarde del trabajo", "si tú me obedecieras", entre otras. Mediante un mecanismo de repetición de estos argumentos, las mujeres terminan convencidas de que son las culpables del enojo de su pareja, llegan a dudar de sí mismas.

El hombre culpa a la esposa de todo lo malo que le está ocurriendo, hasta de lo mal que le puede estar yendo en el trabajo. Si los planes no salen como él tenía pensado, culpabiliza a la mujer aunque ella no estuviera enterada de ellos.

El estado de ánimo del hombre violento es vulnerable. Pasa de lo sutil a lo brusco, de lo amoroso a lo detestable. Puede estar contento y la más mínima desavenencia o desacuerdo son suficientes para pasar al insulto, a las palabras hirientes y descalificantes. Luego de un enojo muy intenso suele venir el período de calma. Ocurre el arrepentimiento, se pide perdón, puede llorar, regalar para más tarde recomenzar el maltrato.

Estos hombres se creen con derecho a castigar a sus esposas. Realizan, en forma intimidatorio, actos como estrellar y romper objetos, tirar puertas, voltear las sillas, irse violentamente de la casa, cerrar los puños como señal de amenaza, abrir los ojos con una mirada de enojo, acezar en forma· trepidante, entre otras.

Otro argumento utilizado por el hombre maltratador en la justificación de sus acciones es el de "yo le pegué porque ella me provocó". O bien, "yo le dije cuernera porque estaba hablando con un hombre que yo no conozco". La minimización de la violencia entra en juego también, "no fue tan grave lo que hice, yo solo la empujé y ella se dio con la puerta", "yo no la quería matar, yo solo la agarré por el cuello para que me dejara tranquilo", "para que ella me dejara dormir tranquilo le puse la almohada en la cara". El hombre no se percibe a sí mismo como violento, sino que reacciona de esa manera por la provocación de su pareja.

La violencia y su carácter cíclico

La violencia se perpetúa en una relación a partir de la pauta relacional que crea una estructura violenta fija, la cual se da cíclicamente. La ocurrencia y la forma de la violencia van a variar en cada relación. Los episodios pueden aparecer en forma de golpizas diarias, semanales, quincenales hasta una vez al año. Lo que hace más grave el episodio es la probabilidad de que ocurra un homicidio.

Jorge Corsi experto en el tema de la violencia indica que ésta se da cíclicamente iniciándose primero con la fase de acumulación de tensión en la cual aparecen los insultos, las humillaciones, descalificaciones. Segundo, la fase del episodio agudo en la que estalla la golpiza que puede empezar con un empujón, retorcer los brazos, pellizcos, bofetadas e irse incrementando hasta culminar la liberación del enojo. Luego de la descarga violenta viene el período de luna de miel o de calma, en el cual prevalece el arrepentimiento, la curación de los golpes a su cónyuge, promete que no lo volverá a hacer, cosa que solo tendrá lugar hasta reiniciar el ciclo de una nueva agresión. Vuelve, en consecuencia, a aparecer la fase de acumulación de tensión hasta que ocurre un evento que pueda constituirse en el elemento desencadene de la agresión.

María Cristina Ravazzola plantea que la violencia tiene una estructura propia y que ésta se moviliza a partir de la unión de los miembros de una pareja con una dependencia tan significativa que promueve entre ellos una reacción emocional automática más fuerte que una reacción racional. El doctor Murray Bowen llama a este fenómeno "circuito reactivo de la pareja", que tiene efecto cuando ambos reaccionan automáticamente a cualquier estímulo que para ellos tenga un contenido emocional. Ravazzola habla de la provocación que se expresa en actitudes, gestos, frases, que vienen a ser completadas por el otro a quien se dirige. El circuito establece un modo de reaccionar individual, sin embargo, la actitud de uno genera una respuesta en el otro. De hecho, el circuito es completado por el otro.

Una pareja en consulta, Altagracia y Ramón, con ciclo de violencia semanal, comentaban que no sabían parar el ciclo violento. Ella decía que quería aprender a detenerse a tiempo, a no pelear a su pareja. Reconocía que terminaba provocándolo, porque era capaz de pasearse por toda la casa buscando que él le respondiera a sus cuestionamientos. Por más que él se alejaba de ella, más ella se acercaba buscando una respuesta. La respuesta de agresión confirmaba sus expectativas frente a su pareja. Es decir, que la provocación de uno propiciaba la confirmación del otro, respondiendo con la respuesta agresiva esperada.

En este caso la lucha entre la cercanía y distancia en la pareja era el tema central del problema de la dinámica marital. Al utilizar la técnica de suspensión temporal, ellos descubrieron que por primera vez él tuvo un espacio para pensar sin sentirse acosado, perseguido y ella sintió un gran alivio porque su pareja pudo retirarse sin acusarla y sin sentirse culpable del episodio. De manera pues, que esta pareja experimentó un espacio psicológico que no había experimentado anteriormente. Con esta técnica pudo romperse el circuito violento y ellos descubrir una pauta nueva de relación que les permitiera enfrentar el conflicto sin recurrir a la violencia.

Las intervenciones terapéuticas en cada caso variarán de acuerdo a la cronicidad de la violencia. No es lo mismo tener episodios violentos eventuales que un caso en el que ha habido intento de asesinato o amenazas de muerte.

La efectividad de un proceso psicoterapéutico en una relación violenta dependerá de la volunta y nivel de compromiso de la pareja para cumplir con un proceso de terapia. El nivel de deserción del hombre para recibir asistencia es muy alto. Las mujeres tienden a ser las que buscan ayuda emocional y plantearse una forma de vida sin que sea necesaria la violencia.

Algunas mujeres se quedan en las relaciones violentas

En nuestra sociedad la tolerancia hacia la violencia y el mal trato es muy alta. Muchas mujeres no registran el malestar que les genera el estar sometidas a situaciones de violencia marital. Terminan anestesiadas y no toman conciencia de los efectos de los abusos. Esta es una de las razones por las que las mujeres suelen quedarse en este tipo de relación. La vergüenza es otra razón por la que ellas no hablan de la violencia, se vuelven presas de ella, se sienten avergonzadas de sí mismas y sienten vergüenza ajena del esposo, es decir, la vergüenza que debiera experimentar su pareja por ser violento, la experimentan ellas.

Cada vez que están en el período de calma, las mujeres creen que la violencia no va a volver a ocurrir y esto, en muchas ocasiones, las hace retirarse de la terapia. Otras justifican quedarse con su pareja frente al temor de perder sus pertenencias y estatus social o perder a sus hijos. La mujer no se percibe a sí misma como un ente individual que puede sobrevivir sola. Su nivel de dependencia es muy significativo. Otras han perdido la capacidad de dar respuestas y de defenderse frente a los episodios de violencia. Están atrapadas en el síndrome de indefensión aprendida.

¿Juntos hasta cuándo?

. . . .

¿Qué es lo que determina el tiempo que debe durar una relación de pareja?

Mi esposo es un buen padre, es responsable en lo económico, nunca ha amanecido en la calle. Lo único malo que tiene es que me es *infiel*. Es un comentario muy común en consulta. La esposa, al pasar balance en su relación entiende, en sentido general, que su pareja cumple con muy buenos requisitos para seguir continuar la relación, aun siendo las infidelidades un abuso emocional. También escuchamos con frecuencia a un marido decir "mi mujer lo único que tiene es que me habla mal, me insulta delante de la gente, pero la adoro, ella me cuida y está pendiente de mí".

Ante los ojos de cualquier ser humano, los argumentos planteados al principio podrían significar una ruptura inmediata, para ellos no. Podrían pasarse toda la vida en este enredo marital, caminando en una relación disfuncional y no aceptando una ayuda psicoterapéutica que les acompañe y apoye a sostener una relación más sana, menos conflictiva. Cualquier cambio entre ellos se puede vivir como una amenaza hacia ese sistema relacional. Aun así, un terapeuta no puede ni tiene derecho a convertirse en juez para determinar cuanto debe durar la relación.

La pareja es quien decide cuando detener y hasta cuando sostener o romper la relación. Si no existe una voluntad para romper la relación, no existe persona alguna que interfiera en esto. Tenemos como ejemplos los casos de violencia marital, que aun permanecen las mujeres, sobre todo, en la relación a pesar de la peligrosidad de estar juntos.

¿Se debe luchar por mantener una relación?

Hay quienes luchan hasta donde no se puede por mantener una relación, a pesar de lo absurdo de la insistencia. Parejas se mantienen unidas por la dependencia emocional que sostienen, no por amor y compromiso, sino por el temor a quedarse solas. Las mujeres prefieren quedarse en la relación, que sus hijos se críen con su padre y no con un padrastro, otras por mantener un estatus social. El hombre muchas veces también se queda por los lazos de dependencia que lo atan a una relación. O porque encuentran una buena sustituta de su madre.

Algunos hombres prefieren quedarse con sus parejas a pesar de no sentir el amor necesario para mantenerse en la relación. Entienden que ellas no les exigen, han dejado de controlarlos, no los persiguen. Son buenas madres, están al cuidado de sus hijos, mantienen la casa bajo buen funcionamiento, no tienen que dividir los bienes en el plano económico, y les dan el permiso implícito para seguir su vida de solteros estando casados.

La pareja se adapta a estos niveles de funcionamiento inadecuados y desarrollan un estilo de vida disfuncional. Parecería una lucha, pero, son roles adaptativos que llevarían fácilmente a uno de los dos a desarrollar un síntoma, como depresión, ansiedad, enfermedades psicosomáticas, alcoholismo, entre otros.

Este funcionamiento no adecuado en la dinámica marital responde a la lucha inconsciente que sostiene la díada para no quedarse solo ninguno de sus miembros, ya que la relación se define a partir de la tendencia a necesitar al otro. Muchas parejas tienden a fusionarse, en vez de delimitar su yo individual. Construyen una especie de yo común. Ese yo común o fusionado impone a uno de los dos actuar como si fuera un autómata complaciente o autodestructivo. El yo falso o *pseudo self*, es decir, la persona que tiende a negociar o ceder su *self* (su sí mismo o su yo) puede responder a dos expectativas: la de ser "bueno" o ser "malo".

El rol de la mujer buena se asume para actuar sin quejarse, aceptarlo todo, no decir no, viviendo la presencia del otro como un ente que le absorbe su yo. Esta persona termina suicidándose emocionalmente, se percibe a sí misma como la sacrificada o mártir en la relación. Es pertinente entender que en una relación de pareja en la cual la dinámica se sostiene bajo estos preceptos, ambos tienen seudoselfs o falsos yo.

Esta situación se haría insostenible si una persona tiene un yo (*self*) firme.

¿En qué momento me doy cuenta
que no hay por qué luchar?

Lo más penoso es cuando uno de los dos se da cuenta que no hay por qué luchar, se congelan, se paralizan y no hacen nada para salir de la relación, de lo que resulta el divorcio emocional. La pareja comienza a sostener agendas paralelas, uno no entra en los planes del otro, se divierten individualmente, no hacen planes futuros como pareja, no se apoyan emocionalmente, se pierden los niveles de confianza. Así vivirán por largos años, hasta que uno de los dos encuentre quién lo rescate y los saque del limbo emocional, o uno de los dos entre en un colapso y decida, como un "acto de voluntad", salir del limbo relacional y asumir la rienda de su vida emocional responsablemente.

Triángulo amoroso

Muchas parejas que no son lo suficientemente maduras y tienen una dependencia muy fuerte de su cónyuge tienden a buscar una tercera persona con quien involucrarse emocionalmente y crear una relación triangular que lo distancie de su pareja. Una relación con una o un amante, se presume, le garantiza una distancia lo suficientemente significativa para no enfocar la relación, no adentrarse en el verdadero problema, sino poner una distancia emocional y física de su pareja. Esto significa, quiérase o no, asumir una actitud inmadura con otra persona, dado que está creando una relación reactiva y ansiosa. Ha buscado otra persona que le sirva de salvavidas para romper con la relación de pareja. Tener una o un amante parecería, a simple vista, resultar una buena alternativa para quien decida romper una relación y no sabe cómo.

Las razones explicativas acerca de los triángulos amorosos son tan diversas como la existencia de las aventuras mismas. Las justificaciones oscilarían entre la vivencia de la crisis de la mediana edad, una aventura sexual, necesidad de aliviar la tensión y necesidad de comprensión, entre otras.

El triángulo amoroso temporero no siempre conlleva al rompimiento de una relación. Es usado para lograr distanciarse de la pareja, cuando quien se distancia necesita sentirse aliviado de una gran tensión. Quien tiende a buscar una relación alterna es quien está más ansioso en la relación, de manera que esa tercera persona le sirve para bajar los niveles de ansiedad que bordean la relación. Al sentirse aliviado o aliviada, vuelve a la díada marital, abandonando a la tercera persona.

Quien tiene la aventura amorosa es quien juega la posición más incómoda. La persona triangulizada es elegida para evitar los conflictos de pareja no resueltos, y luego es abandonada, cuando la díada vuelve a la posición original de la relación.

Considerando esta dinámica en una relación de pareja, en la cual la infidelidad no siempre es usada para lograr distanciamiento es muy probable que la relación marital no termine. El triángulo amoroso sirvió a la pareja para encontrar una posición más cómoda para ambos.

El triángulo amoroso y la ética relacional

En nuestra cultura la relación de pareja se define a partir de la unión de dos personas que comparten su mundo emocional, material e intelectual. Partiendo del punto de vista cristiano, desde la fundación del mundo, como se plantea en el libro del Génesis se estableció una relación de hombre-mujer. Dios pensó en una relación tan seria, altamente comprometida de uno para el otro que declaró que el hombre deja a su padre y a su madre, y se uniría a su mujer, y los dos se fundirían en un mismo ser.

No estoy haciendo un planteamiento meramente religioso, sino valorando el nivel de compromiso que se establece en una relación de pareja. Se trata de la ética de apoyarse mutuamente, valorarse, considerarse, amarse en una relación de dos.

Cuando en una relación de pareja se implica a una tercera persona se genera mucho dolor a la persona que está siendo engañada. A partir de ese daño causado es cuando, precisamente, entramos en la dimensión ética de las relaciones. ¿Hasta qué punto el malestar de uno de los miembros de la pareja da permiso para ocasionar daño al cónyuge? Lo más sano es manejar las diferencias, desacuerdos o conflictos sin tener que recurrir a una relación extramarital.

Lo lamentable sería que una separación se produjera a partir de una infidelidad, y esta, consecuentemente, llevase a quien está engañando a unirse a esa nueva persona. Ocurrirá que los mismos conflictos, temores, ansiedades, angustias, limitaciones, la poca capacidad de entrega, bajo compromiso, todo lo que no pudo manejarse en la relación anterior, lo llevaría en su equipaje emocional a la nueva relación de pareja. De producirse la nueva y frágil unión, en poco tiempo, después de la fase de luna de miel, comenzarían a aparecer los problemas, y quizás por la misma situación anterior, ya que el que se va, se lleva sus propios problemas a esta nueva relación.

De manera pues, que siempre que se esté causando daño a una persona se estaría quebrantando un principio ético en el sistema de relaciones. Lo ético en una relación consiste en considerar a la otra persona como importante, reconocer sus necesidades emocionales y acompañarla, darle afecto, escucharla, valorarla y por supuesto que estas consideraciones se den en un ambiente de reciprocidad para que la pareja pueda sostener relaciones justas basadas en la confianza.

Ahora, bien, para el beneficio de la pareja, para volver a ganar confianza entre ambos y recuperar los niveles de reciprocidad en la relación, ambos deberán observar y analizar su participación en el proceso relacional que estaba viviendo antes de que ocurriera la aventura.

Ganar confianza después de una aventura amorosa

Esta es una tarea muy comprometedora, porque la infidelidad conlleva mucho dolor, sentimiento de engaño, traición, vejación, humillación, entre otros. La voluntad afirmativa de la pareja para reconstruir la relación es vital para este proceso de ganar confianza.

La confianza se gana a partir de lo que el otro está dispuesto a dar de sí, de su acompañamiento, de su afecto, de su comprensión para ganarla. Y la tarea difícil de la persona que fue engañada es demostrarle a su pareja que está confiando, no tan solo con el decir, sino con el hacer. Ambos deben comprometerse en la tarea de ganar confianza meritoria y devolver confianza.

Ganar confianza meritoria es la capacidad que tiene la pareja para evaluar la decisión de decir a su pareja que le engaña y que ha pensado ponerle fin a la aventura, si es que quiere que la relación original progrese. Sugiero esto ya que creo que toda pareja se da cuenta que su cónyuge tiene una aventura amorosa por el cambio de su comportamiento.

La persona que engañó debe hacerse responsable de su comportamiento y mostrar arrepentimiento de ello. Es importante, en esta fase, que la pareja pueda evaluar el proceso de tensión o ansiedad que estaba viviendo para que pueda abordar los conflictos no resueltos. El estado emocional de pareja, en el momento que alimentó la ansiedad para que este triángulo ocurriera, deberá también ser objeto de evaluación. Así la pareja se encamina a sostener una nueva intimidad y confianza en la relación conyugal.

¿Cuándo se da cuenta la persona que no vale la pena seguir?

Esta es una pregunta que se hacen muchas personas cuando han entrado en el drama del sufrimiento en una relación de pareja. Es pertinente considerar, cuando la persona se cuestiona, si vale la pena seguir. Es importante evaluar el nivel de compromiso hacia la relación. De lo contrario, se pierde la capacidad de querer invertir en el otro, no se reciproca la confianza, el amor, la lealtad, la compañía, los planes, el dolor, etc.

Cuando una persona es maltratada a través de desvalorizaciones, humillaciones, descalificaciones constantes y quien maltrata no acepta que lo hace, entonces, es preferible salir de esa relación, sobre todo, si hay agresiones físicas que ponen en peligro de muerte a la otra persona.

Cuando se priva económicamente al otro hasta que duela, es decir cuando el compañero o la compañera ignoran las necesidades económicas y emocionales, y sólo da lo mínimo para la sobrevivencia de su pareja, queda a todas luces claro que se debería abandonar la relación.

¿Qué debe hacer esa persona?

Lo más prudente para una persona que no está manejando adecuadamente su vida es buscar ayuda psicoterapéutica para enfrentar el malestar por el que está atravesando. Si la persona considera que desea separarse de su pareja por la relación dolorosa que está sosteniendo es importante encontrar a un especialista que le acompañe en ese caminar y plantearse nuevas salidas.

Es preferible siempre hacer una separación madura, no conflictuar el proceso, es decir no tomar venganza por el daño recibido. No involucrar a terceras personas es, también, recomendable. Centrarse en lo que verdaderamente quiere hacer, no moverse por el dolor o deseo de venganza. No entrar en una nueva relación emocional hasta resolver la anterior y haber salido de la etapa de duelo. Se debe evaluar conscientemente la relación anterior para no entrar en otra relación parecida.

Plantearse nuevas opciones, darse una oportunidad de crear nuevas alternativas de vida más sanas y fructíferas que las sostenidas hasta el momento.

Familia, crisis y cambio

· ·

La familia es la configuración emocional más rica que se puede presenciar dentro de todos los organismos existentes. Es a través suyo que se intercambia información y energía con el mundo exterior.

Está continuamente sometida a demandas de cambio de dentro y fuera del sistema, a las cuales éste responde para devolverle su estado, su funcionamiento habitual. La familia es la entidad que promueve el desarrollo de sus miembros, los orienta, apoya, y elicita la individualidad hacia un estadio superior del ser humano.

Los cambios que pueden operar dentro de la familia responderán a la etapa de desarrollo que vive, es decir, a aquella que comprende la formación de la pareja, la familia con hijos pequeños, familia con hijos adolescentes y la familia con hijos adultos.

Esta evolución trae como consecuencia movimientos que implican un reordenamiento en la estructura jerárquica, en las funciones parentales, nuevas pautas de relaciones entre los hermanos. En todas estas hay que elaborar nuevas tareas y rutinas. Por ejemplo cuando nace un hijo, la madre debe asumir más cuidado con la criatura, dedicar más tiempo a ésta y por ende ejercerá más distancia con el esposo, del cual al mismo tiempo requiere más ayuda.

Otro ejemplo muy ilustrativo es la etapa con hijos adolescentes, sobre todo, cuando se debe iniciar que ellos logren su autonomía e independencia. Esta parte del ciclo evolutivo de la familia genera mucha tensión, pues a los padres se les hace difícil aceptar el salto del hijo que comienza a diferenciarse, para ir asumiendo su sí mismo.

Para muchas familias esta etapa es crítica, dado que implica un reajuste de comenzar a tratar al hijo con más independencia, las reglas que imperaban deben ser modificadas. Los chicos comienzan a experimentar tomando decisiones en su estilo de vestir, de peinarse, el tipo de música que escuchan, los amigos que eligen, situaciones que mueven al sistema familiar porque implica una demanda de autonomía del individuo a la cual los padres no estaban acostumbrados.

Este episodio de la vida de los adolescentes se puede hacer más crítico si están siendo triangulizados por los padres. Pongamos por caso a Julio, quien ha sido el confidente del padre y quien acompaña a papá en sus salidas nocturnas y de tragos. Por otro lado, la madre, quien se encuentra muy tranquila con el hecho de que su hijo ande con su esposo. Podemos apreciar que este hijo es triangulizado por ambos. Primero, por ser el confidente del padre, lo cual le salva la barrera de las salidas nocturnas, y segundo, porque la madre se aprovecha y recibe información a través del hijo de las cosas que pasan andando con el padre. Esto conlleva a esta familia a no promover la autonomía del hijo porque ello implicaría una pérdida para ambos. Si este hijo llega a tener su vida propia, sus amigos de salidas, su novia, dejaría el espacio abierto para el conflicto entre los padres –esposos-. Este triángulo activo con el hijo promueve que el conflicto quede soterrado. Mas, sin embargo, el chivo expiatorio –el hijo- es quien sufre las consecuencias al perder su autonomía. Y más complejo aún, al ser sometido a un conflicto de lealtad divida frente a sus padres.

Lo presentado es un claro ejemplo de que una familia no logra adaptarse al cambio, ni acomodarse a la nueva fase del desarrollo de la vida familiar y de sus miembros. Se congelan, se paralizan y entran en una crisis, pues la nueva pauta que se requiere amenaza la estabilidad, el equilibrio de la familia.

La crisis que vive la unidad familiar podría generar transformaciones con consecuencias y niveles nuevos de funcionamiento. Por eso constantemente la familia vive períodos de equilibrios, desequilibrios y adaptaciones.

Ocurren, también, otras situaciones que ponen a la familia en cambio y crisis, como por ejemplo, la muerte de un abuelo, uno de los padres, la pérdida de trabajo, una mudanza, entre otras.

Lo interesante de la familia es la capacidad que posee en si misma para moverse dentro de sus propios límites, adaptarse y cambiar, manteniendo su continuidad.

Familias alcoholizadas

E s preocupante observar el estilo o patrón de conducta del dominicano con respecto a la bebida alcohólica. El alcohol es una droga aceptable que va penetrando lentamente al sistema familiar, hasta llegar a instaurarse como parte de la convivencia.

Algunos investigadores han llegado a plantearse que existen componentes genéticos que motivan el consumo del alcohol, pero que también hay pautas familiares que pueden ser transmitidas de generación en generación, de manera que se enseña a consumir la bebida. Además, aparecen ciertos patrones relacionales ansiosos que facilitan el consumo.

El consumo de alcohol incide sobre los conflictos individuales y familiares. Los conflictos como tales no son enfrentados. Cuando estos se intensifican, aumenta el consumo de alcohol. El conflicto deja de ser el foco y lo que se convierte en problema es la bebida, no la persona.

El alcoholismo va penetrando sigilosamente hasta establecerse una pauta de bebida diaria, que implica el consumo de forma regular y predecible todos los días o en los fines

61

de semana. Otra conducta de consumo de alcohol es la que se alterna entre períodos de varias semanas o meses. Estas formas de consumo, unidas a la embriaguez, pueden impactar a la familia, provocando un cambio significativo en la rutina, la convivencia, en los afectos y la forma de enfrentar los problemas.

Los hijos de padres alcohólicos hablan de las fases de consumo del padre o de la madre al comentar que saben en qué momento del consumo piden el permiso, o les piden el dinero porque saben que de pedirlo antes de entrar en la fase intensa, les sería negado. De manera, pues, que cada miembro de la familia termina respondiendo a la presencia del alcohol.

Los especialistas Steimglass, Bennett, Wollin y Reis utilizan la denominación de "familias alcohólicas" para aquellas en las que el alcoholismo se ha convertido en un principio organizador central, en derredor del cual se asocia a la familia. Este tipo de familia tiene conductas muy estereotipadas en la forma en que se solucionan sus conflictos. Se muestran desproporcionalmente agresivas respecto a la magnitud del problema. Existen conductas que sólo aparecen cuando se bebe. Es probable que ocurran guerras verbales, hasta episodios de violencia –el alcohol no es la causa, ya que la personalidad se forma en la temprana edad- o por el contrario prolongados silencios, de modo que la expresividad afectiva se ve muy impactada.

Pudiera ser también que los integrantes intensifiquen la cohesividad familiar y entiendan que los problemas familiares deben ser asumidos por todos o, por el contrario, encarados de manera aislada, es decir, cada uno por su cuenta. Esta cohesión suele darse en sistemas familiares muy aglutinados en los que la autonomía de sus miembros no es celebrada. El problema de uno es el problema de otro.

En mi consulta he visto un elemento interesante y es que quien desarrolla la pauta alcohólica en su familia de origen es el hijo menor o bien, el hermano menor después de dos o más hermanas, por lo que pienso en una infantilización de estos por sus padres. Al referirme a la infantilización quisiera mencionar a Iván Boszormenyi-Nagy y Spark cuando hablan del rol sacrificial que este hijo debe cumplir en el contexto familiar, siendo el enfermo o alcohólico. Si él desarrolla un síntoma, sus padres estarán unidos para rescatarlo, por lo que el hijo se convierte en una víctima voluntaria. Desde niño sus padres lo etiquetaron como el débil, el enfermo, el que nada podía dar y de quien no se podía esperar nada. El hijo cumple con las expectativas de sus padres de que de él no se puede esperar nada ni se le puede pedir nada. Es liberado de toda responsabilidad, y por ende, no puede asumir la responsabilidad de su conducta de bebida para ser leal a sus padres. La lealtad a sus padres se sostiene en su bajo funcionamiento e irresponsabilidad en su actuar. El diálogo es "mientras más respondo a las expectativas negativas de mis padres, más leal soy a ellos". Este rol jugado en la familia puede constituirse en un elemento de cohesión familiar ya que queda implícita la máxima de que "todos debemos ayudar a...".

Identidad alcohólica

A l hablar de identidad alcohólica no debemos dejar jamás de lado la predisposición genética que puede poseer un individuo para desarrollar la enfermedad. También sabemos de la existencia de una herencia transgeneracional, la cual viene dada por la familia de origen.

Un ejemplo pertinaz en la transmisión del alcoholismo de una generación a otra es el que tiene lugar cuando los miembros de una familia, incluyendo su tercera generación simultánea, es decir, abuelos, padres y nietos, se reúnen los domingos a almorzar, destacándose la presencia de las bebidas alcohólicas y sus posibles consecuencias inmediatas, como terminar peleando e insultando a todos.

Otro caso frecuente es el del supuesto ritual de que todos en la familia, incluyendo niños, deben beber en la celebración de la Navidad, por que de lo contrario no sería una celebración. Otra situación dramática aparece cuando los hijos ven que en momentos de tensión o de estrés sus padres beben, como una forma de evadir la necesidad de encarar los problemas. O cuando el padre, que adolece una depresión subyacente, trata de manejarla a través de la bebida. Estas y otras situaciones similares evidencian la facilidad con que la pauta de consumo de bebidas alcohólicas puede ser transmitida a los hijos.

Ahora bien, lo cierto es que todos los miembros de una familia habrán de decidir si poseerán una entidad alcohólica resuelta o no; o bien, una entidad no alcohólica, como señalan Steimglass, Bennet, Wollin y Reis. La primera entidad viene dada como herencia de la familia. La persona tendrá que decidir qué conductas y valores del pasado desea incorporar a su identidad; es decir, si el alcohol será o no parte del sistema familiar a crear. Asimismo, si perpetuará la identidad de familia alcohólica o no.

Por su parte, la identidad alcohólica no resuelta en una pareja pasa por un período prolongando sin que se haya decidido si llegar a ser o no alcohólicos. Esta segunda identidad se puede ir configurando en torno a la vida social o en torno a contextos alcohólicos relativos a los individuos o la familia. Recuerdo un caso de una pareja cuyo conflicto no estribaba en la bebida sino en la demanda de la esposa de que la dejara acompañarlo cuando este fuera a beber tragos con los amigos. Mediante este patrón de conducta la pareja va decidiendo su identidad alcohólica.

La identidad no alcohólica se puede establecer aun cuando se provenga de una familia alcohólica. La pareja puede poseer una gran voluntad para mantenerse al margen del dilema del alcoholismo y centrarse en otras áreas de la vida. En este último caso, las parejas no se inhiben de la ingestión de alcohol. Pero saben establecer límites frente a la bebida y no repiten los rituales familiares, desviándose de su familia de origen. Es raro verlos consumir alcohol durante la semana y en los eventos a los cuales asisten, aun teniendo un carácter social, no necesariamente están vinculados al consumo. Aceptan, simplemente, el alcoholismo de sus padres como algo del pasado.

Cuando no se ha vivido en forma consciente respecto al problema del alcohol es muy probable que se recicle la conducta de ésta o cualquier otra adicción. O bien, a la hora de elegir pareja es muy probable que se elija de una familia alcohólica, repitiéndose la misma pauta y quedando así establecida en esa nueva generación.

Cuidar su sí mismo

....

El sí mismo de cada persona está definido por su sistema de creencias, valores, convicciones y principios. Es a través de este sistema de creencias que se aprende a vivir en las relaciones humanas.

El yo individual o sí mismo se desarrolla a partir de las relaciones primarias con los padres, que son, a su vez, los transmisores de la identidad inicial de los individuos.

El patrón de relación, estilo de vinculación afectiva, la transmisión de los valores familiares, la forma de darle salida a las emociones y sentimientos irá definiendo el sí mismo de la persona. Conforme va creciendo el sí mismo de la persona, esta puede ir madurando y redefiniéndose, entrando en contacto con otras instancias como la red familiar, la escuela, la iglesia, los clubes, el vecindario y las universidades, entre otras.

Si la persona está consciente de su propia identidad, de quién es, cuáles son las motivaciones personales que le impulsan a continuar con el devenir de su vida; si la persona es capaz de crear límites frente a los demás dejando bien claro que está permitido o no frente a sí mismo; si ha fortalecido sus valores morales y espirituales; si es capaz de sostener su forma de pensar y actuar bajo sus propias creencias y no por las de los demás podríamos decir que es un individuo que ha fortalecido su propia identidad o su yo. Lo más meritorio en esta persona es que suele cuidar de su sí mismo y actuar bajo su responsabilidad sin afectar ni dañar a otros.

Cuando una persona no es capaz de sostener su forma de pensar, de sentir o de actuar frente a los demás, sino que, por el contrario, sus respuestas están condicionadas por el qué dirán, su actuar responde más a complacer, a responder a la norma de los demás, más que a su propia convicción, doblegando su sí mismo respondiendo a un pseudo sí mismo o pseudo *self*. Su vida estará más centrada en ganar adeptos o en ganar reconocimiento sacrificando su propia identidad, pues se dirigirá en su forma de actuar a complacer o pertenecer a un grupo determinado y pensar como ellos.

El beneficio del sí mismo individual

Es necesario, para la sobrevivencia emocional de las personas, reconocer lo que verdaderamente son. Hay que tomar en cuenta las fortalezas y debilidades para emprender el proyecto de una existencia que pueda ponerlo en contacto consigo mismo y con los demás. ¿Por qué con uno mismo? Porque si no es posible entrar en un diálogo con nuestro propio ser, con nuestro propio yo será difícil entrar en un diálogo genuino con el otro, ya que la definición de uno mismo está influenciada por el otro; es decir la forma en que el otro me confirma. Mi definición de mujer estará confirmada, valorada por la propia definición del hombre. Asimismo, mi rol como madre estará definido por mi confirmación o negación de tener hijos. Mi actuar, mis conductas, mi estilo de relacionarme con los demás definirán mi sí mismo o yo.

Mantener el sí mismo implica defender las creencias, principios, convicciones y actuar conforme a ellos, sin criticar las posiciones de los demás y sin entrar en luchas emocionales, aunque sí sosteniéndose firmes en los momentos de crisis. Cuando existe una ola emocional muy intensa en el contexto familiar se pone a prueba la fortaleza del yo, no dejándose arrastrar por lo que piensa la familia, ni por la reacción emocional de ésta ante la crisis.

Un caso muy común en la juventud es la actitud asumida frente al embarazo no deseado. Muchas jóvenes, por el temor al abandono de su pareja, o el rechazo de los padres, ponen fin a la gestación. Sobrados son los casos en que inmediatamente la pareja rechaza el embarazo, las jóvenes tienden a recurrir al aborto dominadas por el temor. Exponen su vida experimentando graves infecciones, hemorragias y corriendo el riesgo de perder la capacidad futura de concebir.

Muchas jóvenes se han sometido a abortos sin que sus padres lo sepan. El sufrimiento que estas experimentan las lleva a entrar en un largo período depresivo, aislándose de su familia y de su compañero. Estas chicas sufren una pérdida significativa en sus vidas, perciben que hay una parte de sí mismas que se pierde, ya que el embarazo en un momento pasa a formar parte de su propio yo, y sobre todo, que representaba una esperanza para formalizar una relación más duradera. Pasan por un proceso de duelo silenciosamente, ya que no pueden contar con su familia, ni con el compañero del momento. Hay una interrupción del embarazo, lo que trae una pérdida en sí misma, la pérdida del compañero y la pérdida de la confianza en su pareja por no haberle correspondido como ella esperaba.

Es parte del drama que viven las jóvenes que centran sus expectativas en el otro más que en el bienestar de ellas mismas. La confusión las hace presas del sexo, del placer por el placer.

Estas chicas que habían aprendido a confiar en su pareja, quienes les habían prometido amor eterno a cambio de una relación sexual, terminan siendo traicionadas. De repente todo les cambia al sentir la negación de la única persona en quien confiaban y con la que no cuentan en ese momento crítico. Esto las hace más vulnerables a dejarse llevar por su pseudo self más que por su propia decisión.

Enfrentar solas este dilema existencial y ético las pone en situación de crisis emocional y su respuesta tiende a ser reactiva, apuntando más al temor y la vergüenza que a la responsabilidad individual de hacerse cargo de la parte que le corresponde. Reaccionan más a la crisis emocional del momento que a la necesidad de actuar por su propia decisión y encarar su responsabilidad ante el embarazo.

De manera pues, que no existimos aisladamente, sino en función del otro, a través de quien podemos ganar confianza. Mi actuar se vuelve meritorio en la medida en que pongo mi capacidad de dar de mi misma en aquellas personas significativas como los padres, pareja, hijos, familiares, amigos, etc.

Mantener los límites bien definidos frente a los demás es vital, ya que de no estar consciente de hasta dónde se puede dar de sí misma se corre el riesgo de ser explotada por el otro. La otra persona puede exigir, demandar más de lo que la otra está en capacidad de dar promoviendo una relación de explotación. La demanda excesiva de atención, cuidado, amor, compañía hace sentir a la persona explotada permanentemente.

Pérdida del sí mismo

Participar en una relación en la cual se lesione el sí mismo individual de cada sujeto es muy común en la vida de pareja, o en una relación de amistad. Igual ocurriría en una familia, en la cual los miembros se organizan como un ramillete de uvas, sin dar espacio suficiente a la individualidad de cada uno de sus miembros.

La pérdida del sí mismo individual implica la negociación del yo del sujeto para plegarse, regalarse al otro. La negociación se centra en cuanto el sujeto relega su capacidad para autodefinirse a sí mismo pasando a erigir un yo o *self* falso que responde más a las expectativas del otro, lo que la otra persona espera. Se negocia por temor a perder al otro o por mantener la relación.

Una familia con un miembro esquizofrénico vino a la consulta. Se podía percibir cómo sus miembros no sabían donde comenzaba la individualidad de uno y el otro. El miembro con el síntoma era un adulto que estaba demandando más autonomía e independencia, mientras que la madre no estaba en la disposición de aceptar. El cliente solo podía hablar de irse de la casa bajo estado de crisis. En período de calma no se podía tocar el tema. Cuando él hacía la crisis y la madre lo comenzaba a atacar, su hermana solía amenazar a la madre para que parara el ataque, diciéndole que también ella se iría de la casa. Esto era suficiente para que la madre parara. El temor de la familia a separarse los tenía encerrados en un sí mismo difuso.

Esta familia se había organizado alrededor del síntoma de un miembro para preservar la cohesión, el aglutinamiento. La familia se aferraba al síntoma como un pretexto para que ningún miembro pudiera salir del sistema familiar. Es así como una familia puede enfermar para no aceptar el crecimiento de sus miembros y no dar un cambio hacia un nuevo estadio de desarrollo que perfile la autonomía de sus miembros.

Algo similar ocurría con la hermana de 25 años de edad, a la cual la madre le decía cómo debía vestirse y peinarse, cuál debía ser su novio, y cual trabajo debía elegir. Esta seguía tratando a su hija como una niña, ya que su crecimiento implicaría asumir su propia vida y abandonar el hogar. Como esta familia no celebraba los cambios ni la individualidad, la madre se apersonó a una consulta para establecer y dejar claro que ella se había sacrificado bastante como para que sus hijos ahora la abandonaran. Es así como un sistema familiar es capaz de organizarse con pautas disfuncionales que promueven la aparición de un síntoma, lesionando la individualidad de los miembros.

Se puede apreciar en esta familia el temor a la individualidad y a la separación. La ansiedad crónica se pone al servicio de la familia impidiendo que sus miembros logren su autonomía. Mientras se crean pautas de funcionamiento que paralizan a sus miembros, aparece el síntoma y la familia queda aparentemente intacta gracias a una enfermedad.

En una relación de pareja en la cual hay un miembro que cede su sí mismo para el fortalecimiento del otro, sacrificando su forma de pensar, de decidir, de manera que no emprende ningún proyecto de vida personal, sino que está sujeta a la acciones y decisiones de la otra persona, lo que está ocurriendo, de hecho, es una transferencia de su self o sí mismo, constituyéndose, el supuestamente más diferenciado de ambos, en pseudo *self*. Esta última necesita que la primera la sostenga para mantener buen funcionamiento. El miembro que cumple la función adaptativa es quien suele desarrollar el síntoma, como depresión, úlceras, alcoholismo, una enfermedad emocional, colitis, entre otros. Un ejemplo claro lo tenemos cuando en una pareja uno de ellos es alcohólico. El que tiene un alto funcionamiento en la relación es sostenido por el bajo funcionamiento del otro. Se define una relación de un miembro que bajofunciona y el otro que sobrefunciona.

Otra forma de apreciar la pérdida del sí mismo en la pareja es cuando se tiende a triangulizar a los hijos en la relación y los conflictos crónicos de ambos son proyectados a uno o más de los hijos. Por ejemplo, uno de los padres usa a su hijo como confidente de las conflictos maritales. El hijo tiende a tomar partido por uno de los padres, alineándose con uno y tomando distancia del otro, por lo que se crea una relación triangular. Esta situación se hace insostenible al hijo porque entra en un conflicto de lealtad frente a sus padres. Este tipo de funcionamiento en que el hijo se queda atrapado en la reactividad del sistema familiar lo hace propenso a desarrollar un síntoma que puede ir desde la repitencia del curso, conductas delictivas, de rebeldía o fuga hasta intento de suicidio.

Así se crea esta unidad emocionalmente disfuncional en la familia, en la cual la pérdida del sí mismo individual queda lesionada y no se reconoce el rol de cada uno de los miembros. Las funiones maritales están distorsionadas, el rol de hijo queda suprimido por su involucramiento con uno de los padres asumiendo un rol de seudoesposo, siendo el confidente de uno ellos, y no asumiendo su rol. De manera que hay pérdida de autonomía de los miembros, ninguno está asumiendo el papel que le corresponde, y no hay claridad acerca del funcionamiento de cada uno, pues hay una confusión del sí mismo individual y colectivo.

Mantener el sí mismo
puede ser vivido como una traición

En muchas familias puede vivirse el drama de un miembro del sistema familiar que está mejor diferenciado en su sí mismo con respecto a los demás, pudiendo mantener una actitud firme frente a sus principios y convicciones y no negociar esa capacidad de individualidad, a pesar de la solicitud de la familia para que actúe y piense igual que ellos. Esta actitud de singularidad y soberanía puede verse como una traición, pues el miembro diferenciado no está pensando igual que el resto de la familia.

Existe una serie de eventos que pueden crear tensiones frente a la familia. Por ejemplo, asumir una actitud diferente frente a la espiritualidad, el aborto, el divorcio, la política, entre otras. Este hecho implica que el individuo asume su propio criterio. Cuando una persona sostiene uno de estos elementos basada en su propia convicción y decide mantener una actitud ante un partido político distinto al resto de la familia, ésta última reaccionara inmediatamente para convencer a aquella de por qué debe abandonar su particular idea, ya que "esta familia" siempre ha sido de un determinado partido; igual ocurriría con la religión, la forma de enfrentar el divorcio, etc.

Una familia que posee un nivel de diferenciación bajo tenderá siempre a atraer a su mismo nivel a quien se encuentra con una mejor definición de sí mismo; pero si este último sostiene un ser sólido, se mantendrá fuera del sistema, sin involucrarse emocionalmente en el debate, sin atacar a los demás y mucho menos tratar de imponer su criterio.

Esta persona corre el riesgo se ser excluída del contexto familiar, se somete a ser alguien a quien no se le involucra en los problemas, no se le pide opinión, deja de ser confidente y tienden a considerarla como traidora de los valores de la familia.

A pesar de todo, una ventaja de mantenerse fuera de la masa familiar que no ha desarrollado el sí mismo individual es que quien lo haga estará más libre, y la probabilidad de desarrollar síntomas se reduce, ya que estará menos expuesto a ser triangulizado. Aprenderá a permanecer en la unidad familiar, pero, sin negociar su autonomía.

La niña que no quiso crecer

●●●●●●●●●●●●●●●●●●●●●●●●●●●●●●●●

Hortensia tiene 48 años, está casada y tiene cuatro hijos, y aún no sabe lo qué quiere ni hacia dónde va. No ha planificado su vida y mira el futuro muy incierto. Su vida se vuelve más caótica económica y emocionalmente. Ha tenido una vida sin proyectos, siempre espera de alguien que le ayude a sobrevivir.

Su familia vive de crisis en crisis. Sus miembros están en bajo funcionamiento. Es decir, el esposo comete errores en su trabajo, en consecuencia lo pierde, y comienza a beber con más frecuencia. Sus hijos bajan drásticamente sus calificaciones en la escuela, uno de ellos repite el grado. Ella entra en una depresión muy fuerte, por lo que tiene que ser medicada.

Este caso, que puede darse en cualquier familia, refleja el nivel de inmadurez de sus miembros. Es una familia que se queda atrapada en sí misma. Sus miembros intensifican sus fuerzas hacia el interior de la familia para congelarse y no ver la posibilidad de cambio.

Ella, particularmente, pertenece a una familia de origen que tiene el mismo nivel de madurez. Desde pequeña mantiene vínculos emocionales muy fuertes con su madre, a quien ama y rechaza. El rechazo viene dado inicialmente porque desde muy niña culpabilizaba a su madre del divorcio de sus padres, luego porque se sintió abandonada por la madre quien tuvo que dejar los hijos para buscar una nueva vida que le permitiera generar recursos económicos, ya que el padre de Hortencia no le ayudaba económicamente.

Al crecer se enteró que su madre había intentado abortar al conocer de su embarazo, situación que agravó más el conflicto emocional vivido por ella frente a la madre.

Es una relación que se mantiene con niveles de ansiedad muy altos, aunque ella tiende a buscar a la madre para que la rescate o socorra cuando tiene alguna situación crítica, y su madre, como una forma de reparar el daño causado emocionalmente, está siempre dispuesta a socorrerla.

Cuando Hortensia hace crisis todo el sistema familiar se reactiva para centrarse en ella. La madre y el esposo la rescatan asumiendo todas las tareas que le corresponden a ella, incluyendo el cuidado de los hijos, que delega plenamente en la madre.

Ante la presencia de la madre su nivel de funcionamiento baja más, y se da automáticamente una alianza entre el esposo y la madre para cuidarla, contribuyendo ambos a que siga sosteniendo conductas infantilizadas. Su marido, quien es un bebedor, abandona, mientras dura la crisis de ella, su consumo de bebida alcohólica. Esposo y madre se convierten en dos figuras de cuidado y protección. Su marido deja de ser marido y se convierte en su padre. Ambos están pendientes a los medicamentos, y citas médicas; e intensifican el cuidado de los hijos y nietos. Luego, comienza a salir de la crisis, la madre se va y todos en la familia vuelven a la posición original.

Esta estructura de funcionamiento de la familia de Hortensia se repite cíclicamente. La forma de operar de esta familia se efectúa a través de la crisis de la esposa. Es un llamado de cercanía y protección que ella expresa mediante un síntoma, depresión. Todos los miembros se reorganizan cada vez que aparece el síntoma, la familia se friza, sus hijos dejan de intercambiar con su medio social, su esposo no puede salir, sólo que a los compromisos imprescindibles, pues no existe el permiso, mientras ella este enferma a dejarla sola.

El síntoma se mantiene como elemento unificador para la familia. No saben estar juntos si no es en razón de una crisis de la madre. Sus hijos deben permanecer en la casa, muy pendientes de su evolución. Su hijo mayor, con quien sostiene una relación muy cercana, en período de calma (no crisis), asume la condición de pseudo marido. Cuando está enferma, él entra también en una etapa depresiva y se intensifica su bajo funcionamiento en las actividades académicas.

El hijo, quien se ha convertido en su pseudo marido, se ocupa de acompañarla emocionalmente. La madre le habla sobre sus problemas económicos y maritales, y éste entra en crisis junto a ella. Él es quien decide llevarla al médico. Su dependencia hacia el hijo en esos momentos es de mayor significación, se convierte en el marido y su esposo se convierte en padre, alineándose con la suegra.

La reorganización familiar que se da en estos momentos implica que los miembros intensifican sus roles, el esposo deja el espacio disponible para que su hijo mayor lo asuma, acomodándose a la nueva función de padre de su propia esposa. Es decir, existe una parentificación emocional del hijo. Se convierte en una relación de explotación con el hijo mayor, ya que la función que este debe ejercer es la de hijo adulto. Ocurre lo mismo con el esposo, que termina siendo parentificado, ya que el asume un rol de padre, creando así un desbalance en la relación de pareja, pues se le sobregira, siendo un gran dador. De manera que se establece una relación asimétrica entre ambos.

Igual situación se presenta con el hijo mayor, quien no ha podido, a pesar de ser un adulto joven, salir de casa para satisfacer la demanda de cuidado y protección de su madre. Lo hace responsable del malestar o bienestar que ella pueda sentir. En esta familia se aprecia una inversión de funciones y una relación asimétrica, ya que la madre establece un patrón de rol de hija.

En consecuencia, esta relación se vuelve disfuncional, pues la familia no está identificando cuáles son las funciones que cada miembro debe desempeñar. Ellos no pueden precisar dónde comienza el rol de uno y dónde comienza el del otro. Su estructura familiar es muy difusa y no está suficientemente abierta para asumir los cambios. Enfrentar cambios en la estructura familiar rápidamente podría generar una crisis que moviera todo el sistema.

Esta pauta de funcionamiento ha afectado a los miembros de la familia, sosteniendo su depresión como mecanismo para atrapar a todos los miembros, y negando el permiso para la autonomía. El padre aparece con su pauta de bebida que se mueve de período de consumo a período de bajo consumo.

El hijo parentificado se mantiene boicoteando sus proyectos profesionales y de independencia, para no verse comprometido a asumir su individualidad, para no abandonar a su madre a quien tiene que cuidar y proteger de un padre que no cumple con sus funciones.

Lo que este hijo no ha podido advertir es que su nivel de involucramiento con la madre es parte del circuito de mantenimiento del rol sintomático de la madre.

Así ocurre cada vez, y la familia mantiene el problema por años. En el caso que nos ocupa, ella no quiere crecer, pues no enfoca su problema, el problema de bebida del esposo. No enfrenta la realidad, sino que hace crisis para que su madre y su esposo la salven, vuelquen su atención sobre ella. Su conducta de depresiva genera en el cónyuge la suspensión de la bebida.

Si esta madre quisiera ayudar a esta hija a crecer, dejaría que ella asumiera su depresión, y enfocara sus problemas. No iría al rescate. Su esposo ayudaría haciéndose responsable de su bebida y de la relación con sus hijos, y dejaría que ella estuviese pendiente de sus medicamentos y citas médicas.

Quizás el esposo pudiera darse cuenta como contribuye al síntoma en la pareja. El pudiera asumir actitudes más maduras enfocando su participación en el sistema emocional familiar.

Esto ayudaría a que esposo-madre-esposa desarrollen un acercamiento de persona a persona, de un yo a un tú, más que relacionarse por las conductas inmaduras del sistema emocional familiar.

El dar espontáneo

· ·

El acto de dar es una acción definida por la experiencia de aprendizaje en el contexto familiar, conforme la norma de reciprocidad vivida por los miembros de un sistema familiar. Esta norma se encuentra balanceada entre el dar y el recibir. Existe el compromiso de cada uno de ellos en retribuir lo que ha recibido. Claro que este retribuir se da espontáneo, es un acto que se da como reciprocidad en agradecimiento por lo recibido. Se crea el compromiso de acuerdo a los méritos acumulados que generan confianza, afecto y lealtad.

El dar espontáneo es aquel que ocurre sin condicionamientos, ni coacciones, ni manipulaciones. Es el que tiene lugar como una acción voluntaria, sostenida a partir de la convicción de que el dar es un acto de recibir en sí mismo. El testimonio mayormente conocido es el de Jesucristo, quien fue capaz de dar hasta su propia vida para la salvación de los demás. Él entendía que el dar su vida por su prójimo era una forma de salvar a los demás y salvarse a sí mismo para alcanzar estar con el Padre.

Viene a mi pensamiento la parábola del sembrador, la cual aparece en la Biblia en el evangelio de Marcos. Parábola preferida por mí, por el mensaje profundo que lleva a nuestras vidas. En esta ocasión quiero relacionarla con el acto de dar. Lo creo así, porque el dar es sembrar semillas, y de acuerdo a qué terreno sembremos la semilla, esta germinará o no.

La persona que ha ido madurando su yo, se da cuenta que parte de ese mismo crecimiento es descubrir la posibilidad de retribuir socialmente lo que ha recibido. Busca como desarrollar algún proyecto de ayuda que pueda ser una vía, un canal para reciprocar lo que puede dar de sí mimo, o de sus bienes materiales.

No debe caber la menor duda que muchas personas se valen de mecanismos de ayuda, no para ayudar espontáneamente a través de alguna institución benéfica como modo de retribución natural, sino como un estilo de vida, que más que dar, esperan recibir y vivir de ello. En este caso, sin embargo, el acto de dar pasa a ser condicionado, pierde su naturaleza espontánea, y en consecuencia pierde su esencia.

La persona que no sabe recibir

Siempre que demos nuestra actitud debe ser espontánea. Cuando se nos exige que amemos, cuidemos, acompañemos, cuando se nos obliga a una relación, se pierde el carácter espontáneo del dar, y en consecuencia se reacciona de modo contrario a lo que se nos demanda. Esto tiene un efecto paradójico, porque se pierde la espontaneidad y gana la obligatoriedad.

Así mismo, las personas tienden a alejarse de quienes demandan excesivamente, con carácter de explotación, no saben recibir, esperar, sino que constantemente, demandan, demandan y demandan. Se convierten en seres perseguidores, no respetando a la otra persona.

Una vez, en uno de mis voluntariados en una institución, la directora mantenía demandas permanentes e inacabables, exigentes y sin fin. Estas situaciones crearon una reacción inesperada, la del alejamiento, ya que sus exigencias, sus insistencias promovían conductas de distanciamiento. En mí, particularmente, esa conducta creaba una sensación de ser explotada.

El sentimiento de explotación crea una gran sensación de malestar. Primero, porque quien se siente explotada, se cree, al mismo tiempo, abusada. Y la que explota se cree que tiene todo el derecho sobre esa otra persona. Peor aún, la posición de dominio o control hace creer a la otra persona que está obligada con ella, que se le debe responder a todos sus reclamos.

Si yo no hubiera puesto límites muy claros respecto a esa persona explotadora se hubiera desarrollado una relación abusiva. La relación se definiría a partir de la dinámica de una que domina, explota, que hay que hacer lo que ella diga, y la otra de sumisión, de explotación, y de hacer todo lo que la otra persona demandara.

Es así como se va creando el sistema abusivo de relación de uno que explota y otro que es explotado, es decir un desequilibrio en la reciprocidad del dar y del recibir en las relaciones. La persona que explota no sabe recibir, no esta abierta, no es flexible a recibir lo que la otra persona está dispuesta a dar. Su disfunción consiste en que no sabe recibir, lo que sabe es pedir de acuerdo a sus necesidades, ignorando, lastimando la espontaneidad y la apertura de quien quiere dar o retribuir.

Este mismo sistema opera en todos los tipos de relaciones como por ejemplo, padres e hijos, en la pareja de esposos, maestro y alumno, jefe y empleado, entre otros.

Cuando el dar se convierte en abuso

Desde niña veía en mi barrio como las personas hacían malabares para obtener fundas o cajas con alimentos dados por los políticos de turno. Veía aquello con agrado, pues entendía que no estaba mal la idea de ayudar a los pobres. Conforme fui creciendo me pude dar cuenta que la finalidad de tal acción es la de comprar personas. Hay una máxima de norma de reciprocidad que establece que a quien da no se le muerde la mano. Estas personas terminaban tan convencidas de que esos políticos eran, prácticamente, sus padres o dioses, que se volvían capaces de tolerar un sistema abusivo por mucho tiempo.

Aquí el dar pierde su verdadera esencia: dar porque se quiere dar para agradecer lo recibido. Pero no, estos hechos eran y son realizados con el convencimiento de comprar almas para sostener estructuras políticas, económicas y sociales disfuncionales. Las personas que reciben y reciben, si no conocen como retribuir sanamente, agradecer, devolver, recurren a la incondicionalidad patológica. Patológica en el sentido de que van perdiendo la capacidad de responder a sus verdaderos beneficios, como lo son tener una vida digna, tener los problemas esenciales del día resueltos, la salud, la educación, vivienda y alimentos.

Al no poder reclamar, defender lo que les corresponde por derecho, porque se sienten altamente endeudados con esos políticos, se quedan en la posición de desventaja, de seres explotados. La lealtad es lo que predomina, y no quieren dañar a quien les da. La disfuncionalidad en este caso estriba en que la persona, cuando no reclama, se coloca en un trance hipnótico que no le permite defender sus derechos. Solo creen en que el otro, el político está obligado a darles y ellos obligados a recibir. Esta práctica facilita el desbalance social, la explotación e injusticia sociales.

El dar como mecanismo de explotación en la relación de pareja

Mi hijo mayor me contaba, con asombro, que había escuchado que un señor había comprado una lavadora hacía seis meses, pero que aún la mantenía guardada, porque le había dicho a su esposa que no se la entregaría porque ella no se lo merecía. Esta señora tenía la obligación de lavar a mano la ropa de ellos dos, más cinco hijos. Si para mi hijo que tiene 18 años tal acción resultó terrible, imaginémonos qué suplicio es para esta señora. Sin duda alguna que tenemos ante nosotros una actitud abusiva.

Pienso, sin duda alguna, que el acto de dar para este señor es objeto de manipulación. En su esquema cognitivo lo que prevalece es un dar puramente condicionado y abusivo. El mensaje es "cuando te la merezcas, te la doy". Pero, resulta que nunca se la dará, porque a su criterio ella no hace lo que él quiere que haga. Conociendo este patrón, me atrevo a asegurar que esta señora jamás tendrá la lavadora, porque en el hombre abusivo su razón esta más centrada en la manipulación que en el acto de dar.

En otro caso, recuerdo como un esposo llegó a comprar un regalo de cumpleaños pasa su esposa, se lo mostró, le dijo, mira el regalo que te tengo pero no te lo daré porque no te lo mereces. Esta reacción pone en evidencia una vez más la capacidad de manipulación que tiene el ser humano a través del dar. Otra forma de distinta, pero con el mismo trasfondo, es retirarle lo dado, como quitarle la llave del vehículo, decirle que le va a quitar el carro, quitarle la tarjeta de crédito, no darle la misma cantidad de dinero, en fin.

Otra situación es cuando uno de los dos percibe subjetivamente que ha invertido más en la relación, que escucha más, que ama más, regala más, complace más. En la mayoría de los casos, en vez de celebrar la disposición de dar, ocurre el reclamo abusivo, destructivo. Comienza a decirse que se buscará otra persona que valore lo que él hace, que es una inconforme, que es una malagradecida, entre otras, poniendo a su pareja en una situación de desventaja, de descalifición, humillacion y burla. Y va creando un ciclo de dar y paulatinamente quitar, humillando. Cuando la ve triste le pide perdón y luego se reinicia el ciclo.

Madres solteras

L lama la atención la creciente estadística de madres solteras. Podríamos enfocar, desde mi experiencia, las diferentes motivaciones por las cuales las mujeres van asumiendo esta condición como una alternativa de tipo de familia.

Sólo enumeraré algunas. Primero, tenemos a las adolescentes que inician una relación sexual temprana, luego las madres divorciadas, y también aquellas mujeres ya adultas que deciden tener un hijo con el propósito de no quedarse solas.

Las mujeres que deciden asumirse como madres solteras son aquellas que buscan ansiosamente estar acompañadas por un hijo, lo cual traería el riesgo de que madre e hijo desarrollen una relación simbiótica.

Esto implicaría que la intimidad entre la madre y el hijo aumente en forma irregular, creando lazos de dependencia muy fuertes entre ambos. La madre sería capaz hasta de saber lo que está pensando y sintiendo su hijo.

La probabilidad de que este niño se desarrolle con autonomía es escasa. Pues la madre no resistiría sentirse sola.

Crea las condiciones necesarias para que este hijo funcione como apéndice de ella. Por eso ella decidió tenerlo, "para no estar sola".

Este tipo de familia se encuentra en el dilema de crear una dependencia mutua y un resentimiento recíproco, ya que existe una dinámica que promueve el estar unidos, pero cuando hay demasiada cercanía, viene el rechazo, por sentirse sofocados, sin espacio uno ante el otro. Este hecho se repite cíclicamente.

Los dos, madre-hijo, crean unos niveles de lealtad tan fuertes que no dan cabida a una tercera persona. Cuando ellos están juntos, no dejan un espacio psicológico para que otro entre a formar parte de la relación. El compromiso silente existente es "tú y yo estamos para ti y para mí". Se crea una relación de un nosotros, no de un yo y un tú.

Alrededor de este núcleo familiar *pas de deux*, como le llama el terapeuta familiar Salvador Minuchin, la tendencia a crear una dependencia emocional es muy probable ya que disponen de mucho tiempo para estar solos, dedicados uno al otro. La madre no cuenta con otros hijos para distribuir el tiempo con los demás, no tiene una pareja con quien compartir sus necesidades afectivas, emocionales y en muchos casos sexuales. Esta situación hace la relación proclive a parentificar al hijo para que rellene estas necesidades.

La madre tiende a conversar todo con este hijo, él le acompaña a todas las actividades, le ayuda a elegir la ropa y las amistades. Suele producirse una crisis de celos cuando la madre acerca a un compañero emocional.

En estos casos el hijo tiende a convertirse en un pseudo marido emocional. Ella duerme con él, es su confidente, su amigo y consejero. La tendencia a crear relaciones con una pareja adulta es compleja, pues, en muchos casos se les hace difícil establecer una relación madura con una pareja, ya que su lealtad está centrada en la madre. Otros tienden a no casarse, a no asumir un compromiso, deciden vivir solos y tener varias parejas. Eligen parejas a las que no les interesa el matrimonio, ya que esta actitud les garantiza la soltería y no los pondría a prueba de ser desleales a la madre, estableciendo una relación emocional intensa con otra mujer.

La actitud de estas madres suele ser de un sobreinvolucramiento con el hijo, delegan funciones en ellos que corresponderían a una relacion de pareja, no tan solo en el plano emocional, sino además en el plano instrumental, cuidar de la casa, ir al supermercado, pagar las facturas, ser su representante en las actividades sociales, entre otras.

El yo de esta madre, en vez de ser compartido con una pareja adulta, crea un yo con su hijo. Cuando su hijo se va de la casa, la madre hace crisis porque siente que ha perdido una parte de su yo, la otra parte que la define a ella misma, su hijo.

Ahora bien, como este niño tiene la oportunidad de estar rodeado la mayor parte del tiempo de adultos es muy probable que su capacidad verbal sea más desarrollada de los esperado, con todo y que ha perdido la oportunidad de compartir con otros niños. Así mismo, es un niño que podría interesarse más por los temas de adultos y parecerá mucho más maduro de lo que a su edad biológica correspondería.

La hija de madre soltera que sólo quería ser madre

Maria Cristina entraba en una etapa de angustia porque ya se aproximaba a sus cuarenta años y no había tenido un hijo. Pasó toda su vida centrada en sus estudios y luego en convertirse en una exitosa profesional. Relegó sus años de elegir una pareja y crear una relacion sentimental profunda con un compañero. Ella sólo estaba preocupada por su crecimiento intelectual y profesional, dejando de lado el aspecto emocional.

Al llegar a la edad madura comienza a sentirse sola, sin pareja y sin hijo y comienza a plantearse la necesidad de procrear, pues estaría dispuesta a sacrificar su rol de pareja, pero no de ser madre. Sobre todo, porque su madre, quien ya estaba en una edad muy avanzada, le decía que estaba muy preocupada por ella, porque a la hora de su muerte su querida hija se quedaría sola.

Esto agudizó más la inquietud que ella estaba sintiendo y encontró en su camino un hombre divorciado que estaba dispuesto a casarse con ella. Para María Cristina esto representó una gran oportunidad en su vida, y sin amar y sin estar lo suficientemente enamorada, decide casarse, y así tener un hijo. No quería traicionar a la madre, siendo madre soltera, ya que era ella la única hembra en la familia y a quien todos admiraban.

Decide casarse sin considerar si estaba lo suficientemente enamorada, si sentía amor por esa persona. Fue al proceso consciente de su bajo nivel de compromiso para establecer una relación basada en la confianza, el respeto y el afecto. Pero su gran necesidad en este momento era tener un hijo. Las circunstancias no hicieron posible la llegada del hijo, lo que favoreció a que esta relación terminara.

De esta manera queda truncada la expectativa de tener un hijo sin tener que "avergonzar" a su familia.

Conforme pasa un año, vuelve a sentir el paso del tiempo y el nuevo permiso que la madre le da para que tenga un hijo. Es decir, le deja las puertas abiertas para que ella decida la forma en que lo tendría. No establece cánones morales, ni espirituales, sino la necesidad de procrear y no estar sola, ya que se avecinaba la probabilidad de perder a su madre dentro de unos años.

Se sintió liberada por el permiso de la madre, un permiso que ella quería darse. Ya se planteaba la posibilidad de tener un hijo sin casarse. Esta vez proyectaba tener un hijo con un hombre que no supiera sus íntimas intenciones. No quería tener una pareja, dejando siempre explícito que para ella era suficiente ser madre y tener a quien cuidar y que luego en su vejez la cuidara como ella cuida a su madre.

Influencia intergeneracional

Maria Cristina vivió en una familia en la cual su madre había estado casada, se divorció y pasó a ser amante de un hombre casado. Pertenecía a una familia paralela. Vivió toda su vida al cuidado de su madre y sus hermanos. Eventualmente, veía al padre, quien tenía a la vez varios hijos con diferentes mujeres. El padre compartía su tiempo entre varias mujeres y más de diez hijos. Este fue el modelo de padres que ella conoció. No tenía como marco de referencia la figura de un padre física y emocionalmente presente, sino un padre que proveía y que ocasionalmente la visitaba, le regalaba un poco de atención.

No tenía una referencia parental que no fuera la de un padre ausente, periférico y la imagen de una madre soltera con gran capacidad de autosacrificio por los hijos. Tener un hijo permaneciendo soltera se constituía, para ella, en una confirmación de lealtad a su madre. Primero, porque ser madre soltera le garantizaba seguir al cuidado de su propia madre, y segundo, confirmaba que lo que su madre hizo estuvo bien.

Carmen, por su parte, desde muy temprana edad mostró dificultad para crear vínculos emocionales con el sexo masculino. Recuerda que de niña no podía sostener una relación con los demás niños de su edad. En las fiestas de adolescencia no bailaba con los varones. Tuvo varios novios con quienes tampoco pudo sostener una relacion estable y duradera, más bien eran conflictivas. Cada vez que terminaba una relación, lo hacía de manera abrupta, y asumiendo una distancia que implicaba siempre un corte emocional. Jamás hacia contacto posterior con ellos.

Sus relaciones las vivía entre el amor y el odio. Quería tener una pareja, pero, hacía todo lo posible por mantenerla emocionalmente distante de ella. Cuando la relación parecía marchar bien, generaba situaciones para mantenerse distante y no involucrase emocionalmente con el compañero de turno.

Carmen, de acuerdo a sus reflexiones, pudo darse cuenta que desde niña fue rechazada por ambos padres. Al producirse la separación entre ellos, comenzó el pugilato de involucrarla en sus conflictos postdivorcio. Fue triangulizada, por lo que se convirtió en la rebelde, ya que se veía constantemente en un conflicto de lealtad hacia sus padres. Ella no tenía opción, pues, cada padre trataba de ganársela en la tarea de desprestigiarse mutuamente ante ella.

Su tiempo de convivencia con la madre fue mayor, lo que garantizó a esta última introyectar en la hija una figura inadecuada, malvada, de su padre, de manera que desencadenó en la hija conductas agresivas, de venganza hacia éste. Por esta razón, la distancia entre ellos se convirtió en un estilo de vida. Carmen recuerda que su padre hacía todos los intentos de acercársele, acción que la madre descalificaba. Aprendió a reconocer la figura masculina como negativa, mala, poco sincera, desconfiada y desleal.

Esta desconfianza la inclinó a no sostener una relacion duradera, basada en el respeto y el afecto. Aún anhelando tener un matrimonio, hacía todo lo posible por no facilitar un encuentro genuino, auténtico con los hombres. Los que elegía no le garantizaban una relación estable, eran hombres que estaban comprometidos con otras mujeres. Por este drama vivido, su actuar inconsciente la dirigió a tener un hijo para no estar sola, cumplir con su expectativa de ser madre, pero no esposa. El estar sola era la mejor manera de ser leal a su madre y al rechazo que esta sentía hacia los hombres.

Cuando las madres trabajan

· ·

U n día vi y escuché a un señor en un programa de televisión que aseguraba que existía tanta delincuencia en nuestra sociedad de hoy porque "la mujer estaba fuera del hogar", es decir, trabajando. Esto me dejó reflexionando acerca de esa apreciación que endilgaba la responsabilidad del mal social a la mujer.

Creo que es su percepción la que hay que cuestionar. Es una visión reduccionista del problema, dado que existen otras variables que entran en la cuestión.

Revisando a H. Charles Fishman, un renombrado terapeuta familiar, descubrimos que en una investigación sobre el problema de la delincuencia, él y sus colaboradores pudieron concluir, de acuerdo a los casos vistos, que en las familias con delincuentes la autoridad parental ha sido debilitada de alguna manera.

También se vio que no había una figura paterna. O si la había, se trataba de una figura masculina transitoria. O que el padre tendía a delegar la crianza y la formación de los hijos enteramente a la madre.

Es típico de la familia dominicana que la crianza sea delegada en la madre. El padre sólo se percibe en su rol instrumental de proveedor. Considera que su función vital en el contexto familiar es la de velar porque sus hijos puedan alimentarse, asistir a la escuela y vestirse de acuerdo a sus posibilidades. Las demás tareas son delegadas a la madre, como la educación, la disciplina, las tareas hogareñas. Está tan convencido de la eficacia de su rol, que cuando las cosas no marchan bien tiende a culpabilizar a la madre de las conductas inadecuadas de los hijos. No se percibe el hecho como parte del sistema familiar, que aporta para que las ocurrencias de las conductas inadecuadas se perpetúen.

Otro patrón indicaba que las figuras parentales son ineficaces por la presencia de un desacuerdo crónico entre los padres, y a la vez uno de los padres tendía a involucrarse excesivamente con uno de los hijos, generalmente el hijo delincuente.

No existe nada más paralizante que dos personas que no logran ponerse acuerdo. La mayoría de las veces la pareja entra en una lucha por poder, que la respuesta de no ceder en cada uno se manifiesta con un efecto neutralizante de la acción a tomar. Este desacuerdo suele visualizarse, por ejemplo, cuando una madre da un permiso y el padre lo niega. El hijo tiende a reaccionar quedando paralizado frente a la decisión de ambos, o reaccionando con conductas de fuga, rebeldía, oposicionismo, agresividad, entre otras. Cuando esto se convierte en un patrón de desacuerdo fijo, los hijos tienden a reaccionar al mismo.

En estos casos pueden aparecer conductas delictivas en los hijos y no se debe, precisamente, a la ausencia de la madre, más bien, se reacciona a un conflicto de lealtad. Los hijos se ven atrapados entre la lealtad hacia el padre o hacia la madre. Este hecho viene dado, ya que, si le es leal a la decisión de la madre, entra en conflicto de lealtad hacia el padre, y viceversa. El mensaje nunca estará claro para el joven. Pudiera darse el hecho de que la conducta delictiva del hijo responda a un conflicto de lealtad hacia sus padres, ya que no tiene opción de responder a una estructura de funcionamiento clara.

En lo anterior tenemos un sistema familiar disfuncional donde ambos padres están jugando roles inadecuados. En nuestro país podemos encontrar que la estructura familiar responde al esquema en el cual ambos padres juegan el subsistema jerárquico, es decir, se maneja la autoridad de ambos, delegando en el padre la mayor cuota. Así pues, la figura de autoridad del padre puede constituirse en un elemento desarticulador de los episodios de conductas delictivas.

En algunas familias he observado la presencia de un padre muy autoritario, maltratador, poco afectivo y poco comunicativo; con una madre permisiva, con niveles de autoridad muy débiles, con actitudes encubridoras de conductas inadecuadas del hijo, por lo que este último tiende a desarrollar conductas antisociales. De manera pues, que la generalización según la cual las mujeres que trabajan son generadoras de conductas delictivas se desvanece ante este enfoque sistémico familiar. La familia está constituída por miembros y la forma de interactuar o relacionarse es la que establece las pautas de sostenimiento de una dinámica fija en el transcurrir del tiempo.

La educación, crianza, dirección, apoyo y afecto es responsabilidad de ambos padres, no de la madre solamente. El padre es tan necesario e importante como la madre.

Relación primaria madre-hijo

El primer vínculo emocional que establece el niño en sus relaciones primarias es con la madre. El vínculo se inicia a partir del contacto con el seno de la madre que lo alimenta. Su actitud frente al acto de alimentar es vital para la internalización del objeto bueno-malo, es decir, la percepción que hace el niño de la figura de la madre como objeto de amor o de rechazo.

El niño internaliza, incorpora a la madre como buena en la medida que ésta se encuentra disponible cuando él requiere del cuidado, atención y afecto. Conforme el niño experimenta ese contexto seguro con una madre amorosa, éste comienza a identificarse con ella como una parte suya. Suele darse una relación simbiótica, ya que el niño necesita ser cuidado por la madre.

Es en los dos primeros años cuando la relación madre- hijo se hace más intensa. Prácticamente, son dos seres fusionados, la diferencia del yo de la madre y el hijo es escasa. En el final de este período comienza a darse la separación. La madre debe propiciar el espacio necesario para que el niño tenga la libertad de lograr su separación o autonomía. La diferenciación del yo de la madre y el hijo se convierte en un factor crucial para la individuación del yo.

Crear el espacio necesario para que éste comience a alejarse de la madre y experimentar una independencia se puede ir logrando en la medida en que el niño entra en contacto con el mundo exterior. En la medida que la libertad es aceptada, que el niño deja de ser una posesión para la madre, éste podrá desarrollar una personalidad más sana. Los impulsos del niño serán de amor, poseerá sentimientos de bienestar y de confianza en sí mismo.

Del mismo modo en que el niño puede internalizar a la madre como objeto bueno, amoroso podría, también, cuando la libertad es restringida, internalizarla como un objeto rechazado u hostil. Podría, además, resultar que la relación de la madre con el hijo permanezca fusionada. La posesividad de la madre tendría a mutilar el yo individual del hijo promoviendo este tipo de relación reacciones hostiles y agresivas como consecuencia de la baja diferenciación de los *selfs* de ambos.

La salida a destiempo de la madre

La relación madre-hijo resulta vital en el desarrollo de la personalidad del individuo. El bienestar experimentado o no de esa relación primaria marcará el patrón de relación del sujeto. Que se establezca o no una relación con el objeto amado repercutirá en el sí mismo del individuo y en la relación con su pareja.

Un niño que haya sido abandonado por su madre en los primeros años de su vida, o cuya madre no le haya suplido los cuidados y afectos requeridos en ese tiempo, es un niño que sufrirá de carencias afectivas. Si la madre no está para proteger cuando el niño la necesita, si no está para calmarlo en los momentos de angustia y miedo es muy probable que este niño se sienta abandonado y desprotegido.

Es muy común en nuestro medio social que el cuidado de los niños sea delegado a una empleada doméstica la cual no puede sustituir el afecto, la comprensión y cuidado de una madre. La generalidad de estos niños sufre de maltratos emocionales y físicos. La mayoría de estas cuidadoras son a su vez madres que abandonan a sus hijos. No podemos precisar qué contratransferencia afectiva pueda darse en estos casos.

El delegar en una niñera los cuidados de los hijos es muy delicado ya que suele darse el acomodamiento de la madre en no asumir su papel afectivo. El afecto también es transmitido a los hijos en la medida en que ellos se sienten cuidados. Es a través del cuido como se crea una relación basada en la confianza.

Roberto y Pablo buscan ayuda terapéutica por ejercer la violencia contra sus mujeres; ambos fueron criados por sus niñeras. Están conscientes de querer más a sus niñeras que a sus madres. No tienen registrada, en su mundo afectivo, la figura de la madre. No recuerdan haber sido cuidados por ellas, ni mucho menos recuerdan el afecto de las madres. Es muy probable que la hostilidad y el enojo reprimido hacia la madre abandónica esté siendo proyectado hacia su pareja.

La madre es la persona más significativa, porque es a través de ese primer contacto que los individuos establecen el vínculo afectivo. Si el niño no vivencia esta experiencia como gratificante es muy probable que acumule sentimientos de venganza hacia la figura femenina, un sentimiento de rechazo y de desquite. El enojo acumulado podría ser proyectado hacia su pareja, que se convierte en ser cuidadora y aliviadora de su dolor emocional originario.

La madre que no asume el compromiso de encargarse de las funciones emocionales nutrientes frente a sus hijos corre el riesgo de que estos pierdan la perspectiva de sí mismos y la fortaleza de crear relaciones sostenidas en la confianza.

Las funciones maternas no pueden ser delegadas a una tercera persona que no pertenezca a la red familiar, porque pone en desventaja afectiva al hijo. El sentido de pertenencia a la familia de origen no se percibe de la misma manera cuando es una empleada doméstica quien se ocupa de la crianza.

La niñera es quien comienza a ganar méritos frente a los cuidados prodigados y por ende el niño termina percibiendo que a la persona que debe retribuir lo recibido es a ella y no a la madre.

Una dificultad mayor suele presentarse cuando los niños son sometidos a cambios de empleadas constantemente. Nuevas adaptaciones a distintas personas ponen en serias dificultades al niño. Cada uno de estos movimientos implica aprender a relacionarse y vincularse sin que exista un lazo consanguíneo que facilite un sentido de pertenencia familiar.

No creo en la necesidad de que las madres dejen de trabajar para dedicarse en pleno a sus hijos. En lo que sí creo firmemente es en que debe existir una relación cercana que permita a la madre y al hijo desarrollar los vínculos de intimidad necesarios para fortalecer el sentido de pertenencia, seguridad y confianza básica.

La autoestima del bisturí

En cierta medida es penoso ver como la autoestima del ser humano ha venido siendo distorsionada en las últimas décadas, a través de la promoción de una figura esbelta, libre de grasa y de peso. La mejor condición de una mujer para sentirse plenamente satisfecha respecto a sí misma será de acuerdo a cuanto se parezca a una modelo.

Hoy, lo que prevalece es una autoestima plástica, dada por la cirugía u otros tratamientos para obtener una figura ideal, detener el envejecimiento y lucir radiante como cuando se era adolescente.

Huelga decir que la gran mayoría de las mujeres, y ya muchos hombres, están inmersos en creer que lograr una buena apariencia física o figura corporal es alcanzar su autoestima, o bien, mejorarla, reduciendo de esta forma el concepto a la nueva imagen física del individuo.

No pretendo ni defender ni atacar a aquellas personas que recurran a estos métodos, sino el hecho erróneo de que justifiquen mejorar su autoestima a través de la plástica, que no es más que vender imagen, cuando la autoestima es mucho más. La terapeuta familiar Virginia Satir ha desarrollado muy bien el concepto de autoestima, el cual dista mucho de lo que quieren vendernos hoy como la salvación de nuestro mundo interior, reduciéndolo a imagen y moda.

Hace un tiempo recibí en mi consulta una mujer muy hermosa y con todas las cualidades para sentirse plena y gozosa de sí misma, pero su motivo de consulta fue su sentimiento de poca valía. Carla no se percibía como una mujer bonita y mucho menos con suficientes condiciones para vivir a plenitud su vida de pareja, ya que consideraba no poseer las condiciones necesarias para agradarle a su pareja. Había abandonado la universidad porque entendía que no era inteligente para emprender una carrera. Así mismo, se había afectado su rol de madre, pues creía que no podía educar bien a sus hijos, que no tenía la paciencia suficiente para compartir con ellos el tiempo de la enseñanza y educación.

Quien pudiera observar a esta mujer de lejos estaría muy convencido de que a ésta no le faltaba nada por su impresionante belleza, pero ella se encontraba atrapada en sí misma por su propia desvalorización. Tenía un plan de boicotearse, no se permitía crear las condiciones necesarias para seguir adelante en su vida individual, sino que se encontraba encerrada tras las rejas de su mundo familiar y solo se limitaba a cumplir su rol de madre en su mínima expresión. No se sentía capaz de actuar con la autoridad necesaria para ejercerla adecuadamente con sus hijos. Y por supuesto llevaba consigo una baja sensación de merecimiento, creyendo no ser digna del derecho de que su pareja le tratara como una persona importante y significativa en su vida.

Había asumido un papel de víctima exhibiendo conductas autodestructivas, como la de enfermarse continuamente.

Era atendida y cuidada solo cuando estaba enferma, todos se preocupaban por ella, no tenía otro mecanismo para sentirse querida por los demás, sino era mediante el llamado de atención por alguna enfermedad. Así mismo, por su capacidad de sacrificio por los demás, sus hijos y su pareja, no era capaz de decir que no, pues su objetivo era sentirse querida por su conducta de entrega a los otros.

Algo más que imagen y moda

Virginia Satir describe la autoestima alta: "Cuando me siento bien conmigo misma y me agrado, hay magníficas posibilidades de que pueda enfrentar la vida desde una postura de dignidad, sinceridad, fortaleza, amor y realidad".

Ella nos habla de autoaceptación, autovaloración, autoconocimiento, que significa centrarse en lo que es la valía personal, es decir, "la capacidad de valorar el yo y tratarnos con dignidad y realidad" (Satir, 1991). Se trata de aprender a tener fe en sí mismos, es sentirse competente, ser responsable, saber mantener confianza a la hora de tomar decisiones.

Todas estas calificaciones vendrán inicialmente aprendidas en el sistema familiar de origen. Es a través de los padres que se aprende a desarrollar el concepto de sí mismo, mediante los mensajes que los padres envían a los hijos y el estilo o patrón de comunicación. Niños que no son amados, respetados, valorados serán adultos que no habrán desarrollado la habilidad de amar, valorar y respetar a los otros.

En el caso de Carla encontramos que esta mujer se sentía que no contaba para sus hijos, ni para su pareja, se sentía constantemente rechazada y había perdido la perspectiva de sí misma, se había reducido a una imagen deficiente de madre y esposa. Había que estimular en ella, el amor propio como una declaración de su valor individual. El objetivo era alcanzar su sí mismo sin percibirse a través de su pareja y sus hijos.

Muchas mujeres se sienten realizadas en la medida en que cumplen las tareas propias de ser madres. Se consideran con valor conforme sus hijos son excelentes estudiantes, bien educados. Sus hijos se vuelven sus mejores cartas de presentación. Otras se quedan a la sombra de sus parejas sin desarrollar ningún plan personal que las promueva por su propio valor y por su propio esfuerzo. El desafío consiste en aprender a vivir bajo su propia luz y convertirse en una compañera para su pareja sin sentirse inferior.

Carla, particularmente, no se sentía con la valía suficiente para reafirmarse en la vida, ni en sus relaciones, por lo que no se estaba constituyendo en una persona que pudiera transmitir este mensaje de autoestima a sus hijos. Mayor dificultad, aún, presentaba por el hecho de no contar con el apoyo y afecto de su pareja.

¿Mejorará la cirugía la autoestima de la persona?

Es muy probable que la autoimagen, en cuanto a la apariencia física, pueda crear cierto bienestar emocional para la persona que recurre a este método. Pero, ¿qué pasa con el sentimiento acumulado de rechazo traído desde la infancia? ¿Cómo puede aprender a despojarse del mal trato a que fue sometida en su infancia? ¿Cómo manejar los recuerdos de unos padres descalificadores y maltratadores que lesionaron su autoestima? ¿Cómo acercarse a una madre que recuerda como agresiva y distante? ¿Cómo acercarse a un padre que abusó de ella? ¿Cómo acercarse al marido después de una cirugía estética cuando en el fondo existe un temor a intimar con él sexualmente, producto de haber sido objeto de violencia sexual en su infancia?

Sería prudente que las mujeres u hombres que busquen mejorar su apariencia física, decidan primero invertir en su recuperación emocional, pues, de qué vale tener una figura perfecta cuando la persona sigue percibiéndose como inadecuada, deprimida, iracunda, rechazada, entre otras sensaciones emocionales autodestructivas.

No se cambia la autoestima de la noche a la mañana. ¿Por qué? Porque nuestra autoestima viene formándose desde nuestro nacimiento, desde ese primer contacto con los padres biológicos, adoptivos o de crianza. Esos primeros años de vida pueden significar aceptación o rechazo en la jerarquía de valores de una persona.

El papel de la familia

El sentido de pertenencia, el patrón de relación, el drama familiar que experimenten los individuos permitirán a las personas asumirse interiormente valiosas o no. No por la figura al estilo Julia Roberts o Jennifer López, sino por lo que se trae como identidad propia, lo que se define a partir de las creencias y principios adquiridos mediante el crecimiento y la socialización familiares, una persona posee valores intrínsecos.

La autoestima es un objetivo en la vida por el que se debe luchar, sobre todo, con uno mismo, día a día. Es un estilo de vida que permite relacionarse abiertamente con los demás. Las personas se sienten en libertad de reclamar sus derechos y cumplir sus deberes, saben expresar sus emociones sin ningún temor. Una autoestima adecuada permite reconocer que en su contexto familiar se tiene la libertad de decir lo que se piensa y siente. Carla debió incorporar estos conceptos como tarea cotidiana para el desarrollo de su autoestima.

La autoestima en una persona dependerá, en buena medida, de si viene de una familia nutridora, en la cual se muestra afecto entre sus miembros, no hay temor de tocarse, besarse, abrazarse, o si, en cambio, se proviene de una familia conflictiva, con pocos o confusos niveles de comunicación afectiva. Si los hijos aprenden a ver a sus padres demostrándose cariño y expresando libremente la sexualidad, estarán en una mejor disposición emocional para confiar en sí mismos. La verdadera autoestima conduce a sentir respeto por la vida; es vivir disfrutando de la vida y actuando constructivamente frente a los demás. Es plantearse qué puedo yo aportar en vez de qué necesito.

Los individuos que poseen una autoestima adecuada en el contexto familiar brindan apoyo, comprensión, cuidado y, por supuesto, muestran una gran capacidad de cambio, viven y actúan aceptando el crecimiento, autonomía e independencia de cada uno de los miembros de la familia.

Por el contrario, si se pertenece a una familia conflictiva, en la cual los afectos no se expresan, sus integrantes son extremadamente fríos, hay una consecuente incapacidad para expresar afecto. La comunicación es distorsionada, poco clara, confusa e indirecta, utilizando mensajes ocultos. Los mensajes no se perciben con claridad, no se puede determinar a quién va dirigido el mensaje, pues fácilmente un padre pelea con la hija, pero el mensaje va dirigido a la madre. Se critican las diferencias, no hay permiso para tener opiniones distintas frente al mismo hecho. Existe una máxima familiar, "aquí todos pensamos igual". Viven muy pendientes a quién comete errores y, por consecuencia, subrayan los juicios negativos. Carla formó parte de una familia con estas características y de ahí su resultante baja autoestima y poca autovaloración.

La autoestima como un estilo de vida

Si se recurre al bisturí sin haber asumido la autoestima como tarea de crecimiento interior y como un estilo de relacionarse con uno mismo y con los demás, entonces se corre el riesgo de ser simplemente figura e imagen.

Lo que puede hacer un bisturí se queda en lo físico, cuando lo que hay que cambiar es la actitud. Quien esté inconforme con su físico, vivirá esclava de la sala de cirugías, y en guerra consigo misma. Recuerdo una amiga cuyo cirujano plástico se negó a seguirle practicando más trabajos de estética, pues hasta él consideraba que ya era suficiente. Esta persona fue referida al psicólogo para que interviniera en el plano emocional, dado que estaba creando una adicción a la cirugía, sin siquiera advertir su peligrosidad. No recuerdo haber conocido una persona con tan buena figura y tan profundamente triste.

De igual forma, comenté en una ocasión a una amiga muy cercana que antes de someterse a una intervención de este tipo, era prudente primero iniciar una cirugía mental y determinar las motivaciones que la inducían a comer con ansiedad; de lo contrario rápidamente recobraría el peso y la figura que decía querer lograr. Procedió por la vía del bisturí y solo tardó un año en recuperar su gordura habitual.

La autoestima es un estilo de vida porque implica revisar, redescubrir y plantearse nuevas maneras de actuar basadas en la confianza y respeto hacia la persona misma y hacia los demás. Implica saber actuar oportunamente sin causar daño al otro; ganar merecimiento constructivo a través de acciones que generen confianza.

Autoestima significa aprender a decir lo que sentimos y pensamos sin ofender ni atacar al otro. Es demostrar nuestro afecto sin temor, actuar libremente, sin temor al que dirán. Una autoestima adecuada da paso a la espontaneidad individual, a lo que se cree por convicción. Es defender los derechos individuales y familiares, para convivir con sentido de pertenencia a la red familiar. Es tener un diálogo genuino con los demás y no recurrir a mensajes distorsionados. Es decir con claridad lo que se quiere decir. Es aprender a expresar el enojo en el momento indicado, con la persona indicada y con la intensidad adecuada.